まえがき

こんにちは、さくらももこです。みなさんお元気でお過ごしでしょう
この本は、私の書いた『富士山』という雑誌の1号から5号までの中
海外・国内といろいろな所に行った旅行モノのよりぬき編です。
楽しい事も多かったけど、辛《つら》い時もありました。おいしい物もあった
まずい物もありました。
ももこの旅の一冊、どうぞごゆっくりお楽しみ下さい。

もくじ

本文デザイン　祖父江 慎＋安藤智良（コズフィッシュ）

またたび

ロンドン　おシャレでステキな物がいっぱい

　ロンドンには、小さくてかわいくてステキな物がいっぱいある。アメリカのようなゴージャスというのではなく、イタリアのようなダイナミックというのでもなく、パリのような高級というのでもなく、かといって安くて貧乏臭《びんぼうくさ》いが味があるとかそういうわけでもない、小粋《こいき》なおシャレ心のある街なのだ。

　今回ロンドンに行くにあたり、私は以前買い損ねたエナメルの人形のことを思っていた（小社刊『憧《あこが》れのまほうつかい』参照）。もしもアレがまだあれば、今度こそ迷うことなく買おうと思う。

　そんな私のおとなしい野望を、新潮社の木村さんはわかっていた。なぜならあのエナメル人形を買い損ねた時、木村さんは私と一緒《いっしょ》にいたからである。なので私があの人形のことを言う前に木村さんは「さくらさん、あの人形があったら今度こそ買おうね」と言ってくれた。

　木村さんがそう言ってくれるのなら話は早い。ロンドンに着いたらまずあの店に直行するだけだ。

それで、ロンドンに着いたとたん、我々は人形の置いてあった店に直行した。

——しかし、あの人形はもう無かった。無くて当然である。あの人形があったのはもう4年近く前のことなのだ。

そうは思うものの、少しガッカリした。知人の青木さんが店の人にいろいろきいてくれたのだが、店の人ですら今さらもうあの人形のことは何もわからないようであった。

無い物は仕方ない。こうなったら他《ほか》のかわいい物をいっぱい見つけようじゃないか。と、私は俄然《がぜん》ファイトが湧《わ》いてきた。失恋《しつれん》とか仕事や結婚《けっこん》で失敗した時など も、これと同じようなファイトの湧かせ方が大切だ。何かに失敗した時は、さっさと次のことを考えるように私はしている。

というわけで、エナメル人形の事はもういいから、とりあえずすぐ近くにあったアンティークショップのショーケースを覗《のぞ》いた。

すると木村さんが「あ、コレ、さくらさん好きそうだよっ」と声をはずませて私に教えてくれたので見ると、透明度《とうめいど》の高いプラスチックを小さい金魚鉢《きんぎょばち》のように固めた中に金細工の魚が5匹《ひき》入っているネックレスが吊《つ》るしてあるではないか。

あまりのかわいらしさに私は「いやーん♡」と思わず乙女《おとめ》の叫《さけ》びをあげ、すぐさま店の中に入ってそれを買った。店のおばさんの話によれば、このネックレスは60年代のものらしい。60年代から70年代の小物には、プラスチックをクラフトワークの一環《いっかん》として用いた作品がよくある。このネックレスもそんな作品のひとつであろう。

私はコレを見つけてくれた木村さんに感謝しつつ、早速《さっそく》それを首から下げてロンドンの街を歩くことにした。このネックレスをつけたというだけで、急に誇《ほこ》らしい気分だ。

ネックレスをつけて2～3分後、私はエナメルボックス屋のショーケースに釘《くぎ》付《づ》けになっていた。前にロンドンに来た時も、かわいいエナメルボックスが欲《ほ》しいと思ったのだが小さいのに高価だし、使い道もないという理由で買わなかったのだ。

今回は、もう買おうと思っていた。欲しかったエナメル人形も無かったことだし、エナメルボックスぐらい買ったって、いいじゃないかという気持ちもあった。使い道なんて、どうでもいいのだ。かわいらしければ、飾《かざ》っておくだけで意味がある。それにこの旅行はロンドンの小物を紹介《しょうかい》するための取材なのだから、買わなくてはロンドンまで来たかいがない。

あれこれと買う理由を思いめぐらしながらその店で3個のエナメルボックスを買った。見れば見るほど何も入れられないボックスだが、見れば見るほどかわいい。

お腹《なか》がすいたので夕飯を食べに中華街《ちゅうかがい》へ直行した。そこでお腹が一杯《いっぱい》になり、疲《つか》れがどっと出たのでホテルに戻《もど》り、全員早めに寝《ね》て翌日に備えた。

朝になり、天気が良かったのでローズガーデンに行ってみようということになった。正直言って、私はローズガーデンなんて別に見なくてもいいと思っていたが、木村さんが一応イギリスらしい庭園の写真があった方が雑誌の記事が充実《じゅうじつ》するんじゃないかと提案したので、それもそうかもしれないなと思い行くことにした。

行ってみると、なかなか美しく良いものであった。なるほど、イングリッシュガーデンは美しいとみんなが言うわけだと深く納得《なっとく》する。木村さんの提案どおり、この写真があるのと無いのでは雑誌の充実感はちょいと差がでるかもな、と思った。

私は『富士山』の編集長でありながら、取材に行った先でちょっとした手間を面倒《めんどう》くさがって「もう、そんな景色の写真なんて撮《と》りに行かなくてもいいからケーキでも食べに行って休もうよ」とすぐに言うのだ。このローズガーデンも、あやうくそうなりかかっていたなんて、自分の面倒くさがりを少し反省しなくてはと思うのだがなかなかこれが治らない。

それで、木村さんが「もう1カ所、庭園があるんだけど、そっちも行ってみる？」と言ってくれたがそれは断った。行ったら行ったでたぶんキレイなのだろうが、それよりもアフタヌーンティーを食べに行きたいと強く主張し、そうすることになった。

イギリスのアフタヌーンティーは、サンドイッチやスコーンやプチフール等が銀の皿に上品に盛られ、ティーポットの紅茶を飲みながら楽しくお喋《しゃべ》りをしつつ、ゆっくりゆっくり食べたり飲んだりするという、非常に優雅《ゆうが》な習慣なのだが、私《わたし》達《たち》は腹ぺこだったためにかなりのスピードで皿の上の物を食べ尽《つ》くし、紅茶をおかわりした。全員お昼を食べていなかったのだから仕方ない。ふと隣《となり》のカップルの皿を見ると、まだサンドイッチやスコーンがほとんどそのまま残っており、「いらないんならちょうだい」と、青木さんに英語で言ってもらいたかったぐらい気になった。

その晩、みんなでテムズ川の見えるシブいバーに行こうと言っていたのだが、全員面倒くさくなり、ホテルの近所のバーで済ますことにした。そのバーではテムズ川は全く見えないし、食べ物も全くおいしくなかったのだがビールだけは飲み、たまたま偶然《ぐうぜん》知り合いに会ったために大変盛り上がり面白《おもしろ》かった。

翌日、私は昨晩飲んだ黒ビールのせいで顔が変にむくみ、鏡を見てビックリした。

カワイイ物を求めてロンドンまで来たというのに、自分の顔がこんなに変になっちゃや、カワイイ物がどうのこうのと言ってる場合じゃないじゃないか、と思い泣きそうになりながら風呂《ふろ》に入ったり顔をマッサージしてみたりとにかく手を尽くした。

今日の予定はハロッズに行くことになっていたが、こんな顔ではハロッズに行けないと思い、キャンセルして私だけホテルで静かに顔の回復を待とうとすら考えていたのだが、ロビーに集合する時間の15分位前に、どうにか顔の調子が元に戻り、約束の時間にまにあった。

私の顔が変になったことも知らずに木村さんが「おはよう。今日はハロッズだね」と、声をかけてくれた。

こうして無事にハロッズに行くことになりましたのでハロッズの記事は書けました。

顔のむくみも無事にとれ、我々はハロッズへ向かった。ハロッズといえば世界一有名なデパートだ。すてきな物やおいしい物がいっぱいあるだろうなァと思うとわくわくする。

ハロッズに着き、まず1階のアクセサリー・小物売り場で、早くも莫大《ばくだい》な時間を費《つい》やすことになった。

バッグもネックレスもクツもどれを見てもきれいでカワイイ。エナメル製品も豊富だし香水《こうすい》もいっぱいある。そんな売り場が延々と続いていて、ハロッズのオリジナルグッズの売り場だけを見ても相当時間がかかりそうだ。

とてもじゃないが、このデパートを1日で全部見て物色するのはムリだ。私は早々に全階見るのは諦《あきら》め、興味のある売り場数カ所だけを見ることにした。

数カ所にしぼってもかなり時間がかかった。途中《とちゅう》、ハロッズ内のレストランでランチを食べたりカフェでお茶を飲んで休んだりしたが、午前中から行ったのに帰るのは夕方5時頃《ごろ》になった。ものすごく疲れた。

でも、ロンドンらしいかわいい物がいっぱい見つかってうれしかった。特にししゅうのバッグとネックレスが気に入っている。

食品売り場でもおそうざいをいろいろ買って食べてみたが、なかなかおいしかった。

ハロッズだけを見るために、１週間ぐらいロンドンに旅行するのも面白いかもしれない。

気になっていた街ハバロフスク

近い外国①

ささて、日本に近い外国に、ちょいと気軽に行ってみようじゃないかという
この企画《きかく》。近いけど外国ですよ、皆《みな》さん。

いつもヨーロッパに行く途中《とちゅう》のヒコーキの中で、「ただ今、ハバロフスク上空を飛行中でございます」というアナウンスが流れる。そのアナウンスが流れるのがだいたい成田から出発して2時間余り経《た》った頃《ころ》で、ヒコーキの窓から下を見ると、黒い山脈が延々と見えていたり、平野や蛇行《だこう》してる川が見えたりする。

私は、その景色を見るたびにいつも「…ハバロフスクって一体…」と思っていたのだ。日本から近いこのハバロフスクという場所は、一体どうなっているんだろう。黒い山脈と蛇行してる川と平野だけじゃ全くわからない。でも、ヒコーキがこの場所の上空にさしかかるたびにアナウンスをするぐらいなのだから、何か意味のある町なのかもしれない。

そんなわけで、私はずっと前からハバロフスクのことが気になっていたのだ。たぶんロシアだろうと思い、地図で調べてやっぱりロシアだったので「うん、やっぱりロシアか」と思ったまま特に行く機会もなく日々は過ぎてしまったが、今回、『近い外国に行こう』という企画を勝手に思いつき、とうとう長年気になっていた地へおもむくことにしたのである。

友人達《たち》に「今度、ハバロフスクへ行くんだ」と言うと皆「えっ、ハバロフスク!?」と叫《さけ》び、それはどこかと場所を問う者もあれば、一体何しに行くのだと目的を問う者もいた。日本から近いわりには行ったことのある人が身近にいないなァと思っていたら、うちのスタッフが「前に仕事で一度行ったことがあるけれど、食事は期待できないですよ」と、寂《さび》しい情報を告げてくれた。

つまんない情報しか得られなかったなと思っていたら、なんと木村さんも過去1回行ったことがあるというので、どうだったかと尋《たず》ねたところ、カニ缶《かん》とキャビアが安かったが重いので少ししか買って来れなかったという、非常に情ない答が返ってきた。

ハバロフスクは、食事が期待できそうもなく、カニ缶とキャビアが安いらしい。その他の情報は殆《ほと》んど得られないまま出発の日は近づいていた。

この旅行には、木村さんと石井さんが同行してくれることになった。石井さんというのは木村さんの上司で、昭和20年生まれの陽気なオッサンだ。昭和20年生まれといえば私よりも20歳《さい》も年上なので54歳というわけだ。普通《ふつう》なら、54歳のオッサンなんてついてきてほしくないと言って断固《だんこ》拒否《きょひ》するところだが、石井さんは面白《おもしろ》いモン好きのオッサンで、本人自体も面白いので私と木村さんは石井さんが来ることを面白がって喜んだ。

ハバロフスクに行くためには、まず新潟《にいがた》に行かなければならない。いっぺん新潟に行って、新潟空港からヒコーキに乗るのである。近い外国のわりにはちょっと面倒《めんどう》くさいのだ。東京から新潟まで新幹線で2時間かかる。それだけでもちょっとした旅だ。

まず新潟に着くと、死ぬほど暑かった。40度近くあるらしい。新潟は、冬は雪が降るが夏はものすごく暑いそうだ。私は新潟は初めてだったので驚《おどろ》いた。

新潟空港からヒコーキに乗ったのだが、このヒコーキがけっこう古くてボロい。天候が悪い日に乗るとスリル満点かもしれないが、私達が乗った日は天気も良かったので必要以上のスリルは味わわずに済んだ。

2時間でハバロフスクに着いた。ハバロフスクは新潟や東京よりも涼《すず》しく、さわやかだ。空港ではイリーナさんという女性のガイドさんが待っていてくれたのだが、石井さんはイリーナさんのことを「カリーナさん」といきなりまちがえて呼び、その後も何度か同じまちがえ呼びをしていた。

ハバロフスクの街は道が広く、木々がたくさん植えられており、古い建物がとても異国情緒《いこくじょうちょ》をかもしだしている。街行く人々は美男美女が多く、石井さんは持参した双眼鏡《そうがんきょう》を片手に持ち、遠くにいる美人までも見逃《みの》がさずに見ようと準備していた。

その夜、ハバロフスクで一番高級なホテルのレストランに行くことになった。イリーナさんの話では、ハバロフスクの人達は外食をしないで家で食べるし、ぜいたくをする余裕《よゆう》もないので、そんな高級レストランなんて行く機会がないらしい。

そのレストランは、日本の昭和30年代の古き良き時代の高級レストランといった風情《ふぜい》があった。出てくる料理はカニやイカなどの海産物をキュウリやトマトやジャガイモやわらびなどとあわせてマヨネーズ味になっていたり、比較的《ひかくてき》アッサリ味だがおいしかった。シャンパンも何本か飲み、私達はすっかり上機嫌《じょうきげん》になった。

4人で腹いっぱい食べて飲んだのに、料金は日本円にして1万円ぐらいであった。高級レストランでシャンパンまで飲んでこの値段は驚きである。ひとりあたま約2千5百円、つぼ八だってもう少し高いんじゃないかと思う。

それでもイリーナさんは「高い…」と言ってめまいを起こしそうになっていた。やはり、町で一番の高級レストランなので他《ほか》の店よりうんと高かったのだろう。

食事のあと、石井さんはカジノに行き、200ドルもうけたらしい。レストランの食事代がういたうえに、更《さら》に約1万円も増えたのだ。

翌日、我々は朝から町の大通りを散歩したり、スーパーマーケットの中を見学したり、お土産屋《みやげや》さんに行ったりした。町並も建物の中も、全《すべ》てが30年代なのである。スーパーで売られているお菓子《かし》やお酒などのラベルに描《か》かれている絵のセンスも古くて面白い。

お土産物は、ロシアらしいマトリョーシカがどの店にも置いてあり、パーレフという手描きの絵のついている箱もとても美しくて選ぶのに迷った。ロシアの人の絵の腕前《うでまえ》もなかなかのものである。インド、バリ、中国などの細密画に負けないほど上手に細かい絵が描かれている。

この他、変わったお土産品として、〝マンモスの牙《きば》〟を彫《ほ》った置き物というのがある。これは、象牙細工《ぞうげざいく》と非常に似ているのだが、象牙じゃなくてマンモスの牙なのだそうだ。

私は、「本当にマンモスなの?」と疑ったのだが、店の人もイリーナさんも「本当にマンモスです。ロシアにはマンモスの牙や骨がいっぱいあるのです」と言うので、信じることにした。あんなに昔の伝説化されている動物の牙で作られている置き物なんて、ちょっと珍《めずら》しいよなァ、と思って2~3個買った。もしもコレがマンモスの牙じゃなかったとしても、マンモスの牙のつもりで買ったという変わった思い出になるから、違《ちが》ってたとしてもかまわない。

散歩のあと、近くの川の遊覧船《ゆうらんせん》に乗ってみたのだが、これが実に面白味のないもので、ただ単に1時間も船に乗っただけという体験であった。この船により我々はすっかり疲《つか》れ、ホテルで少し休けいしたのだが全員うっかり眠《ねむ》ってしまい、もうちょっとで夕飯に遅《おく》れるところであった。

夕飯は、中華《ちゅうか》にしてみたのだが、これもなかなかおいしかった。ここでも腹一《いっ》杯《ぱい》食べてビールやシャンパンを飲んだのに、昨日より安かった。そういえば、さっきの船乗り場の近くで売っていたパンは、アンズがいっぱい入っているものとポピーシードがいっぱい入っているものがそれぞれ1個20円ぐらいだった。安いよなァとつくづく思う。

ハバロフスクの夏の夜の日暮れは遅《おそ》く、夜9時を過ぎてもまだ全然明るい。街の大通りにはたくさんの人が散歩しており、石井さんは美人を見るたびに喜んでいたが、なぜか近寄って来るのは物乞《ものご》いの子供ばかりで、美人は一人も近寄ってこなかった。

その夜、石井さんはまたカジノに出掛《でか》けた。私と木村さんはさっさとホテルに戻《もど》って眠った。

翌日、中央市場に行ってみようということになり、行ってみた。市場は食品や日用雑貨が売られていたが、私は特に欲《ほ》しい物もなくただ見ていた。キャビアやカニ缶なども安かったが、持って帰るのも重いし暑いので腐《くさ》るかもしれないと思ったからだ。

それなのに石井さんと木村さんは買っていた。木村さんはハチミツまで買っているではないか。いくら安くてもよく買うよなー、と思う。

市場を出たあと昼食をとり、ひと休みしたあとイリーナさんのお家《うち》を見せていただくことになった。ロシアの人達の日常生活を少し見学したいと私が希望したからである。

イリーナさんの家はアパートの5階で、10畳《じょう》ぐらいのリビングと、6畳ぐらいの部屋ひとつと小さい台所という間取りの場所に、お母さんとふたりで暮らして

イリーナさんとお母さんは優しい笑顔で迎えてくれました

いた。部屋の中はとても明るくきれいにしてあり、イリーナさんが日本語を勉強するための本が棚《たな》に並んでいた。お母さんはマリーナさんという名前で、今年70歳ぐらいになるらしい。とてもやさしい笑顔《えがお》で迎《むか》えて下さり、日本茶をすすめてくれた。日本からのお客さんが来るとうれしいと言って下さった。こんな私や木村さんや、石井さんでも、だ。

イリーナさんのアパートを後にし、我々は夕食をしに歩いて街まで出掛けた。明日ハバロフスクから日本へ帰るので、今夜はイリーナさんと最後の夕食となる。

私達は街の小さなレストランで、またシャンパンを飲みながらボルシチやキャビアなどのロシア料理を食べた。3日間だったけれど、異国情緒あふれるロシアの楽しい旅だったね、などと皆で語り合った。

イリーナさんと別れた後、我々は変なショーをやるバーに出掛けることになった。変なショーというのは、女性のストリップとか男性のストリップの他、なんかよくわからないが手品のようなものとか、そういうショーらしいのだが、石井さんははりきっていた。

さんざん道に迷い、やっと変なショーをやるバーにたどり着いた。幸いなことにまだ変なショーは始まっておらず、私達はそのままずいぶん長い時間待たされた。待っている間ワインやシャンパンを飲んでいたのだが、店内のミラーボールが激しく回り、店じゅうにグルグルと何色もの光が超《ちょう》スピードで渦巻《うずま》いていた。どういうつもりでそんなことをするのかと思っていたら、今度はろくでもないバンド野郎《やろう》達が2〜3人でてきて、ものすごい音量でロシアの歌謡曲《かようきょく》他、ビートルズの「ミッシェル」などを演奏しつつ歌い、我々は話すことさえままならない最悪の状況《じょうきょう》となった。

石井さんの期待しているようなショーはなかなか始まらず、私達はミラーボールの光に目を疲れさせたまま、しょうもない曲の大音量の中で30分以上黙《だま》って座《すわ》っているしかなかった。誰《だれ》もがもう帰りたいと思っていたが、迎えのタクシーが来るのがあと1時間余り後なので帰るわけにもいかない。とんでもない目にあっているとしか言いようがない。イリーナさんのようにまじめに家に帰っていれば、こんな目にあわなくても済んだのに、石井さんのくだらない欲求につきあった為《ため》にこのていたらくだ。

と、その時、店内に流れる曲が変わり、店の奥《おく》からふたりの女性がメタリックな服を着て出てきたので石井さんは喜び「これだよ、コレ!!」と叫んで私の肩《かた》をパシッと叩《たた》いた。

ところが、女性ふたりは、曲に合わせてピンク・レディーの地味版のような踊《おど》りを踊っただけで服をきたまま去ってしまったので石井さんは落胆《らくたん》した。そして、「こんなもんじゃないはずだ…」とつぶやいていたが、私と木村さんは別に何も言ってやらずに黙っていた。

まもなく、仮面をつけた、いかにも変態そうな男が店の奥から現れ、曲に合わせていやらしい動きの踊りをやり始めた。男は、踊りながらズボンを脱《ぬ》いだのだが、木村さんはその男がパンツまで脱いだのだと思い、黙って目をそらしていたので私は「木村さん、パンツは脱いでないから大丈夫《だいじょうぶ》だよ」と教えてやった。

ズボンを脱いだ男は、何を思ったのか急に踊りながら私のところへ近づいて来たので私はギョッとした。逃げたかったが逃げられないのでそのまま仕方なく座

火を吹く男の
ショーを おとなしく
見ている私たち。
ボッ
クルクル
吹いたね 火を…
うん みてるよ
みるよ
割れたガラスをふんづけている足。

っていたのだが、とうとうその男が私の隣《となり》まで来て私の腕をなでたので私は「キャー、なにすんのさ」と叫んでその男の手をパシリと叩いて追い払《はら》った。なんで私があんな変態じみた男に触《さわ》られなきゃなんないんだよ、ちょっと冗談《じょうだん》じゃないよと思っていると、次にトップレスの女性ふたりが登場したので石井さんは色めきたった。これぞ石井さんの求めていた光景だろう。

トップレスの女性達は、ハードな踊りを踊りまくり、急に石井さんに近づいて来た。目の前に女性が来たというのに、石井さんは何もなす術《すべ》がなく呆然《ぼうぜん》とする一方だったので、私は「石井さんっ、せっかく目の前に来たんだから、チップをパンツの中に入れてやんなきゃダメじゃん」と言うと石井さんはあわてて「えっ、チップ!?」と言いながら、モタモタと財布《さいふ》からお金を出しているうちに女性は他の席に行ってしまった。

私は怒《おこ》り「バカだね、チップぐらい用意しときゃいいのにもう」と言い、石井さんは次のチャンスを待つことになった。

チャンスは再び訪《おとず》れた。女性が石井さんの背後に近づいたのである。私は「今

グル
グル
すごい速さでまわるミラーボール
呆然とする木村さん
…
キャ〜
きもちわるい
さわるんじゃないよ
アンタッ
あっちいけっ
オレって一体…
パシーッ
ムチ
さくらさん
あんなに
あわてて…
プ…ププ…
笑いをこらえる石井さん

だよっ」と叫び、石井さんはモタモタとチップを女性のパンツの中にやっと入れた。女性はニッコリ笑って2~3回石井さんの前で腰《こし》を振《ふ》って行ってしまった。私は「石井さん、せっかくチップをやったんだから、オッパイのひとつも触らせてもらえばよかったのに」と言うと、石井さんはガッカリし「…そうだった。そんなことすっかり忘れていたよ…」と言って肩を落とした。

なんで私が石井さんのこんな世話までいちいちやかなけりゃならないんだ。もう、ホントにしっかりしろよと思っていた矢先、石井さんはカジノに行って500ドルも負けてハバロフスク最後の夜はおわった。

翌朝、昨日の夜とはうってかわってさわやかな青空の下、我々はイリーナさんに見送られてハバロフスクをたった。別れぎわに、イリーナさんがかわいいロシアのお人形をくれた。日本から近い外国で、この3日間、よく遊んだしよく食べた。物乞いにだけしかモテなかった石井さんは、今度は手際《てぎわ》よくチップをあげられるように工夫《くふう》をすべきである。

室内派のためのグアム

近い外国②

グアムは日本からたった3時間で行けるのに、私はまだ行ったことがなかった。全く行きたいと思ったこともなかったからだ。グアムなんて、どうせ海で泳ぐかゴルフをするか、ちょっと買い物をするか、そのどれかだろうし、それなら私はどれも興味がないからわざわざグアムに行くこともないと思っていたのである。グアムに行ったことのある人の話をきいても皆《みな》「海で泳ぐかゴルフか買い物だね。あとは特に何もすることがないよ。食べ物もまずいよ」と言っていた。やはり私の思っていたとおりのようだ。

そんなわけで、私はますますグアムのことは忘れて過ごしていた。ひょっとしたら、このままグアムには一度も行かずに人生を終えることになりそうなほど無《む》縁《えん》であった。

しかし、近い外国シリーズのことを考えると、どうしてもグアムを無視できない状況《じょうきょう》になった。たった3時間で行けるのにまだ行ったことのないグアムには、この機会に行った方がいいんじゃないかという気持ちが、どんどん高まってきたのである。

別に海で泳がなくても、海を見ながらひたすらダラダラと過ごすというのもいいんじゃないだろうか。エステ、マッサージ、買い物、あとは食って寝《ね》るだけというのをグアムでやるのもかなりぜいたくなものじゃないか。

そう思い、私は木村さんに「グアムで、ただひたすらダラダラダラダラ過ごす、というのをやろうよ」と言ったところ木村さんも賛成し「それはいいね。うん、それはいいよ」と言って喜んだ。そして、マッサージのうまい新潮社の大森さんも連れてゆこうということになった。本格的なマッサージ以外の時間にも更《さら》にマッサージを充実《じゅうじつ》させるためには大森さんが必要だ。

大森さんには、マッサージ専門の役ということを本人にもよく認識《にんしき》してもらうために、お医者さんふうの白衣を持参してもらうことにした。

これでバッチリ、グアムでダラダラ過ごせそうだ。私と木村さんは喜び、エステとマッサージのあい間にブランド物の買い物をしよう等《など》と話が盛り上がった。

こうしてマッサージの大森さんとカメラマンの広瀬《ひろせ》君、そして『富士山』スタッフの鈴木《すずき》さんと木村さんと私の5人は遂《つい》にグアムまでダラダラしにやってきた。グアムは、いろんな花が咲《さ》いていた。なるほど、ヤシの木もある。でも、東南アジアの街より趣《おもむき》が無いのが残念だ。

そんなことを思いながらホテルに着き、チェックインを済ませたあと、早速《さっそく》買い物に行ってみることにした。

ホテルのすぐ近くにDFSギャラリアという大きなショッピングモールがあり、いろんなブランドの店が入っているのだ。

このショッピングモール内をグルグル回りながら買い物をしたのだが、それだけで一日終わってしまった。我々がそこのモールから出てきたのはもう夜の9時頃《ごろ》で、全員非常に疲《つか》れ、腹ぺこになった。

ただちにホテルに戻《もど》り、ホテルのレストランでバイキングの料理を食べたのだが、これがどれもまずくて、おいしかったのはビールだけだった。グアムの食事はおいしくないときいていたが、これだったのかという感じだ。

広瀬君ですら「久しぶりに、こんなまずい物を食べたという感じですね…」と、申し訳なさそうに言っていた。まァ、たまには皆こういうおいしくない物を食べた方が日頃のごはんのおいしさに感謝できるというものさ。

そのあとみんなで私の部屋に集まり、シャンパンやワインを飲みながら遅《おそ》くまでムダ話をしていた。ムダ話の間、大森さんはずっと私や木村さんや鈴木さんのマッサージをしてくれていた。大森さんは新婚《しんこん》旅行以来、25年ぶりの海外旅行だそうだ。ちょっと済まない気もするが、マッサージがうまいのだから仕方がない。

翌朝、ホテルのプールサイドでカクテルを飲んだり大森さんにマッサージをしてもらったり、ホテルで飼っているオウムを見たりして呑気《のんき》に過ごしたあと、また買い物に行った。

昨日とは別のショッピングセンターに行ってみたのだが、ここにはあまりブランドの店が入っておらず、しょうもない貝がら人形等のみやげ物が売っていたりしたので、息子《むすこ》のおみやげにその貝がら人形を買った。

ホテルに戻り、指圧マッサージをやってもらい、そのあとホテル内の「アイランド・キューズ」というエステサロンに行った。

エステでは全身オイルマッサージをやってもらうために服を脱《ぬ》いで裸《はだか》になって個室に入りベッドに寝ころび、その上からバスタオルをかけてもらったりするわけだが、その様子を撮影《さつえい》するために広瀬君が木村さんの個室にカメラを持って入ったせいで、木村さんの絶叫《ぜっきょう》が私の個室内にもひびいてきた。

そのあと、鈴木さんの絶叫もひびいてきた。どうやら広瀬君は木村さんと鈴木さんの個室に次々とカメラを持って入っていったようだ。さすがに私の所へは入ってこなかった。そんなことしたらブン殴《なぐ》られるだろうと彼《かれ》も思ったに違《ちが》いない。そしてそれは正解だ。

エステは本当に気持ちよく、オイルマッサージの間もフェイシャルの間も、私はグーグー眠《ねむ》ってしまった。こんなに気持ち良くて、肌《はだ》もキレイになるなんてうれしい。

エステが終わると、木村さんと鈴木さんは広瀬君に尻《しり》を見られたとか、パンツを見られたとか、とにかくふたりとも情ないと言って嘆《なげ》き騒《さわ》いでいた。広瀬君は気まずそうな顔で「…何も見てないッス。ホント、何も見えなかったです…」とウソ丸出しの慰《なぐさ》めをボソリとつぶやいていたが、木村さんにも鈴木さんにもそれは全くきこえていなかった。

部屋に戻りひと休みしている間に木村さんはハンモックから落ちて尻を打ち、尻にまつわる災難が重なった。

今夜はどうにかしておいしい食事がしたいと全員強く希望し、ガイドブックにも載《の》っている日本食の店「一心」に行くことにした。

一心にて、我々はやっと充実した食事を満喫《まんきつ》することができた。日本酒もちゃんとおいしいのがおいてあり、おスシもおいしかった。

そのあと、またギャラリアに行ってしまった。たいした目的もなくギャラリア内をさまよい歩き、とうとう閉店時間の11時までうろついていた。

そのあと、昨晩と同様に私の部屋で遅くまで酒を飲みムダ話をし、眠った。

これでグアムの2泊《はく》3日の旅は終わった。海で泳ぎもせず、ゴルフもせず、室内でダラダラと過ごしたりマッサージやエステをしたり、気ままに買い物に行ったり食ったり飲んだり眠ったりし、心からゆっくり呑気に過ごすという目的を果たした。こういうかんじでグアムを利用するのもとても良い。室内派の人におすすめのプランだ。

ヤキニクだけじゃない韓国

近い外国③

그릇도매상가 C동3층
MBC TV방송 선전중

最近、韓国《かんこく》に旅行するのが大人気になっている。日本から飛行機で約2時間、近いし安いしうまいし美容や健康にもいいことがいっぱいという理由で、みんな行くのだろう。

私も12年位前に一度韓国へ行ったことがあるのだが、その時はまだそれほど買い物面で充実《じゅうじつ》しているわけでもなく、今ほどの人気はなかったように思う。しかし、今こんなに人気になっているのだから、また改めて行ってみるべきだと感じ、韓国への2泊《はく》3日の旅は決行された。

成田から飛行機に乗ってたったの2時間で韓国に着いた。都内から成田に行くまでのほうがよっぽど大変だと感じる。

今回のメンバーは、木村さんと大森さん（マッサージのうまい人）と同じく『富士山』スタッフの小林さんとカメラマンの広瀬《ひろせ》君と私の5人だ。

空港に着いた時に私達《わたしたち》を待っていたのは、大柄《おおがら》で無愛想な少しこわそうな厳しい顔の女性で、「そこの5人組、バスはこっちですよ」とぶっきらぼうに言い放った。私達は〝…5人組っていう言い方もちょっとアレだよな〟と思いながらも、モタモタしてたら怒《おこ》られそうなのでサッサとバスに乗《の》り込《こ》んだ。

バスの中で、この女性の機嫌《きげん》をとろうとして大森さんが「そのプラダのリュック、すてきですね」と言うと、女性は即《そく》「これはニセモノです」とキッパリ言った。

ますます気まずいムードになってしまった。我々が黙《だま》っていると女性は「このバッグもアクセサリーも全部ニセモノです」と更《さら》に言った。車内はどんどん気まずさを増した。

女性は「こういうのが欲《ほ》しければ、いい店があるので連れていってあげます。こういうのはちゃんとした店じゃなきゃ売っていません」と言った。ちゃんとした店ならニセモノなんて売ってないだろ、なんてこの女性を前にして誰《だれ》も言えなかった。

私は木村さんに「…この人が、ずっと案内するの?」と小声できいた。すると木村さんは「ううん、違《ちが》うよ。この人は、空港からホテルまでの送迎《そうげい》だけで、あとは別のガイドさんを頼《たの》んであるから安心して」と小声で答えた。私は安心し、「ならいいけど。別のガイドさんに期待するよ」と言った。

ホテルに着くと、先程《さきほど》のこわい女性とは似ても似つかないほど優《やさ》しくて愛らしい笑顔《えがお》のチェさんという女性のガイドさんが待っていてくれた。皆《みんな》、口々に「あよかった。本当によかった」と思わず言い合いながらチェックインを済ませた。

チェさんは6年間も日本に留学していたため、私のこともよく知ってて下さり「ちびまる子ちゃんもエッセイも大好きです。本物のさくらさんに会えてうれしい!!」と言ってくれたので私も「こちらこそ、チェさんに会えてうれしい!!」と返した。

ホテルを出て、まずはお粥屋《かゆや》さんに直行した。飛行機の中でガイドブックに載《の》っているのを見た時から、私と木村さんはそのお粥屋さんに行きたくてたまらなかったのだ。

粥屋に着き、黒ごま粥と松の実粥とアワビ粥と、まぜ御飯《ごはん》と魚の卵御飯を注文した。さあ、楽しみだ。待ってる間にビールを飲みながら食べるキムチもおいしい。

来た来た、頼んだ物がいっぺんに全部テーブルの上に並んだ。私はアワビ粥からいった。

おいしい!!　想像通りの味だ。こんなのを食べたかったんだよ。うんうんうん。黒ごま粥もいいね、松の実粥もいい。まぜ御飯も魚の卵御飯もどれもこれも全部おいしい。

来たかいあったよ韓国。一軒目《けんめ》の粥屋でメンバー全員ノックアウトだもん、これから先一体どんないい事あるのかと思っただけで、腕《うで》を振《ふ》り回《まわ》しそうになるぐらいうれしい。

散歩しながら商店街を歩き、途中《とちゅう》で略式チョゴリを買い、ふと見かけた肉マン屋みたいな店で肉マンみたいなやつと、ラーメンふうなソバを食べた。それもおいしかった。

まだ5時半ぐらいだったが、かなりお腹《なか》がいっぱいになったのでとりあえずホ

笑顔がかわいらしいチェさんがガイドをしてくれて本当によかったよ

テルに戻《もど》ることにした。

　私はすごく疲《つか》れたので、マッサージをしてもらうことにした。他《ほか》のみんなは、ひと休みした後に夕飯を食べに行くと言っていたが、私はもう何も食べる気がしなかったので夕飯はキャンセルした。

　マッサージのおばさんが私の部屋にやってきた。私は「よろしくお願いします」と言って、ベッドに横になった。

　おばさんは、私の肩《かた》をつかむなり「ひゃあ、これはひどい。大変だ」と言い、強い力でゴリゴリと、筋の音がきこえるような激しい揉《も》みを開始した。

　私は、かなりマッサージには慣れている方なので、強い揉みにも耐《た》えられるが、それでも「いてて っ」と叫《さけ》ぶツボが幾《いく》つかあった。

　私が叫ぶからには相当痛いのだ。慣れてない人だったら泣くだろう。しかし、泣けど叫べどおばさんは許してくれない。

「痛いのは、こってるからだよ」と言って、全く力を弱めずに激しい揉みは続けられた。こっちは我慢《がまん》の限界だ。ギリギリでどうにかジッと耐えていたが、あとちょっと超《こ》えたら、「いてぇじゃねぇかバカヤロー」と大暴れしてわんわん泣いておばさんを困らせることになっただろう。

私のコリと戦いながら揉むおばさんと、おばさんの揉みに耐える私との、ハードな時間は刻々と流れていった。私もおばさんも無言で、部屋にはただおばさんの荒々《あらあら》しい呼吸の音がけだるく響《ひび》き、私の耳には自分の体の節のゴリゴリと鳴る音がおばさんの呼吸音と混ざって怪《あや》しくきこえていた。

結局、私はおばさんに160分もマッサージをしてもらった。料金は1万円だった。日本よりちょっと安い。私はおばさんに1万円と千円を渡《わた》し「千円はチップです」と言うとおばさんはパァァと喜びの顔になり「わたし、また明日もひと晩中いるから」と言い残して去っていった。

…なんか、ハードだったけど、すごく効いた気がするなァ、とボンヤリ思っていたところへ、皆がホテルに戻ってきた。焼き肉屋に行ってたらふく食ってきたようだ。あんなに食った後に、よく入るよなーと私は呆《あき》れた。

韓国に来たからには、焼き肉を食べなければと思って食べに行ったのだろう。

それはそれで正しい。しかし私は、最近めっきり肉を食べなくなってきており、野菜と果物中心の食生活にしているので、今回の旅行で肉は食べないと決めていたのだ。だから、私がマッサージをしている間に行ってきてもらってよかったとも思う。

マッサージをあんなにしてもらった後だというのに、私はまた大森さんに肩や背中を揉んでもらった。大森さんのマッサージはホッとする。なんでこの人が本物のマッサージ師じゃなくて新潮社で別の仕事をしているのかと不思議にさえ思えるうまさだ。私が「大森さんて、役に立つよねぇ」と言うと、木村さんが「ほんとにね」と満腹の腹の底からしみじみ答えた。

翌朝、チェさんの案内で我々は仁寺洞《インサドン》の商店街を散歩しながらいろんな店をのぞいてみた。韓国の民芸品の店や、刺繍《ししゅう》の店など、見るだけでも面白《おもしろ》い。

ふらりと入ったハンコ屋で、私は1個ハンコを作ってもらうことにした。その場で石を選び、富士山用の絵を描《か》き「この通りに作って下さい」と頼むと、店の御主人は「わかりました。2時間位で作ります」と言ってひきうけてくれた。

2時間⁉　私はたった2時間でハンコができるときいてビックリした。以前自分でハンコを作った時、ものすごく大変で半日ぐらいかかったというのに、この人はたった2時間で作るなんて、プロって立派だよなーと思いながら店を出た。

2時間後にまたこの店にハンコを受け取りに来よう。

ハンコができるまでの間、我々は近くの茶藝館《ちゃげいかん》でひと休みすることにした。その店がまたシブくていい味出してる建物だった。

お茶を飲んでる時も、大森さんは私の肩を揉んでくれて、本当に有難《ありがた》い。こうして大森さんを連れて来る旅というのもなかなか良いもんだなァと思う。ろくでもないことばっかりしでかす石井さんと比べると、たいしたネタにはならないが、大森さんの方が断然役立ち度では上だ。ネタ的には石井さんの方がバラまき度は多いが、それもどうかと思う。

茶藝館を出て民芸品の店などを見たあと、またハンコ屋に行ってみると、ハンコは見事に出来上がっていた。すごく上手にできていて、私は感動した。

店の人にサインを頼まれ、筆を手渡されたのでハッとし「…筆かァ」と苦戦しながら絵とサインを書いた。ちょっと下手に書けてしまったので、チャンスがあればサインペンでもう1回書きなおしたいと思ったのだが、店の人は喜んでくれたのでホッとした。

そのあと、螺鈿《らでん》の家具や小物をいっぱい売ってる店に行った。螺鈿とは、貝とか石を使って美しい模様を描《えが》いてある細工のことで、韓国の工芸品のひとつなのだ。

螺鈿細工のめくるめくタンスや小物の店内で、私は色石細工の小さいチェストが欲しくなり、それを買うことにした。それと読者プレゼントのための小箱も買った。

螺鈿の店を出て、ロッテデパートの免税店《めんぜいてん》に行き、買い物をした。私は夏物の服をここで買っとこうと思ったので、Tシャツやスカートを何枚か買った。日本で買うより2~3割安いから得だ。

夕飯を食べ、ホテルに戻ってみんなで集まって酒を飲んだりしていたのだが、小林さんが「あの、四方田《よもた》さんに電話してみましょうか」と言い出したので、みんな賛成した。

四方田さんという人は、新潮社の人なのだが、こんな『富士山』のようなふざけた雑誌を作っているのではなく、もっとまじめな雑誌を作る部署に所属しており、たまたま我々と同じ日程で韓国に取材に来ていたのである。

小林さんが電話をすると、四方田さんから喜んでこちらに来るという返事がかえってきた。

私は昨日買ったチョゴリを着て、四方田さんを迎《むか》えようと言い出し、チョゴリに着がえた。

四方田さんがやってきた。扉《とびら》を開けてチョゴリ姿の私を見てギクッと驚《おどろ》いたが、

「四方田さん、いらっしゃーい」とみんなが歓迎《かんげい》したのですぐにうれしそうな顔になった。

四方田さんはまじめな雑誌のまじめな取材だったため、このホテルから一歩も出ずにずっといろんな難しいインタビューをしたりしていたそうだ。

私達は胸がキュンとなった。同じ韓国取材だというのに、我々はこの2日間遊

びまくり、おいしい物を食べまくり、甘《あま》い物、おやつ、ブランド物、そんなことばっかりしてて、四方田さんの仕事の辛《つら》さなんて1回も考えたことがなかったではないか。

〝富士山でラッキー〟なんて言っちゃ悪いが、みんなそう思った。私がチョゴリを着たぐらいで四方田さんの苦労が減るわけではないけれど、それでも喜んでもらえてよかった。一緒《いっしょ》に記念撮影《さつえい》もしようよ。四方田さん、バンザーイ!!

そんなかんじで夜はふけた。四方田さんはまた明日も昼から大変な取材があるそうだ。

我々は、翌朝飛行機に乗って日本に帰った。2泊3日でも充分満足できる旅だった。韓国へ行くのが流行《はや》っている理由がよくわかった。すごく良いのでおすすめだ。

石井さんのローマのとんでもない休日

「ローマはオレにまかせろ」と、石井さんが言うので、かなり不安だったが一応まかせてみることにした。石井さんはローマに関しては自信満々なようで、着いたとたんに得意そうなカオになっていた。

こんなに得意そうなカオをするぐらいなら、もう何回も来ているのだろうと思ったら、前に1回来ただけだと言うので私と木村さんは呆《あき》れ、何も期待せずに過ごそうと思った。

着いたのが夜だったため、ホテルのレストランで食事をすることになったのだが、石井さんはレストランの初老のソムリエに対し「ヘーイ、じじい、シャンパン早くよこせ」と日本語で叫《さけ》び、その後もたて続けに何回か下品な態度をとったので、店の人に嫌《いや》なカオをされた。

店の人のことなど全然気にせず石井さんは酔《よ》っ払《ぱら》い、我々からも嫌なカオをされた。それでも石井さんは何も気にせず、どんどん酔っ払っていった。

翌日、石井さんのすすめで、革製品《かわ》が安く買える店というところへ行くことになった。石井さんは「あの革屋は安い。ズボンやスーツも半日で作ってくれるから、オーダーして作ってもらうといいよ」と言っていたが、私はあまり気がすすまなかった。石井さんのすすめる安い革屋なんて、インチキ臭《くさ》くて信用できない気がする。

気がすすまなさそうなカオをしている私を見て、木村さんは「さくらさん、気がすすまないでしょ」とすぐに見破り、「実は私もあんまり気がすすまないんだけどね」と自分の胸中も告白した。

みんなが気がすすまないことなど全く気にせず、石井さんは革屋にどんどん向かっていた。

その革屋は、看板も出てないアパートの中の一室にあり、私はますます行く気がしなくなったが、一応入ってみた。

店に入ると、石井さんは革屋のオッサンに「オヤジ、ハロー」とか言ってすごく慣れ慣れしい態度をとっていたが、2度目のローマのくせにと思うと、このオヤジともそれほど親しくはないはずだ。

それなのに、そんな石井さんにつられてオヤジも非常に親しみをこめた態度で我々に接してくれた。

店内にはズボン、スカート、ジャケット類をはじめ、バッグ等の小物も揃《そろ》っている。革がとても柔《やわ》らかく、使い心地《ごこち》が良さそうだ。

値段も手頃《てごろ》だったので、私は自分のバッグと母へのお土産《みやげ》のバッグを買い、更《さら》にジャケットも幾《いく》つか買った。あんなに気がすすまなかったのに、こんなに買っているなんて、まんまと石井さんのワナにはまったような気もするが得な買い物なのでやむを得ない。

ふと隣《となり》を見ると、カメラマンのT－MAXがオヤジに足の長さを計ってもらっているではないか。彼はどうやら今夜の夕食の「ハスラー」という高級レストランに着ていくためのスーツをオーダーするようだ。

木村さんと青木さんは、何も買わなかった。石井さんのおすすめの店なんかより、これから行くグッチやプラダで買った方がいいと思っているのだろう。その気持ちも充分《じゅうぶん》わかる。

革屋を出て、そのままグッチやプラダのある場所に向かった。グッチやプラダのある場所は、映画『ローマの休日』で、オードリー・ヘップバーンがアイスクリームを食べながら降りる階段のある有名な場所だ。

階段で、私もアイスクリームを食べようと思ったのに、あまりにもそれをやる人が多かったようで階段が汚《よご》れたらしく、今はアイスクリーム禁止になっていたのでガッカリした。

階段を降りてすぐに、グッチやプラダのあるストリートに到着《とうちゃく》した。私達《わたしたち》は迷わずまずグッチに飛《と》び込《こ》み、石井さんにバッグを買ってくれと一応せがんでみた。しかし石井さんは「またカジノでもうけたら買ってやるよ」などとあてにならないことを言い、私と木村さんに「ケチじじい」とののしられた。

そんなケチな石井さんをほっておいて私達はグッチやプラダで物色をしていたのだが、ちょっと目を放したスキに、石井さんはジプシーの少女達に囲まれて、あっという間にサイフをスられてしまった。

スられた直後の情けない石井さんと、スーツ姿が怪しいT-MAX

私が石井さんを見た時にはもう、石井さんはボケナス状態で呆然《ぼうぜん》としており、脇《わき》で木村さんが「ジプシーの若い女の子達に鼻の下でも伸《の》ばしてたからこういうことになるんだよ」などと、石井さんを厳しく叱《しか》っているという光景が展開されていた。

こんなことになる前に、私と木村さんにグッチのバッグを買ってくれていれば、石井さんはほめられたうえに被害《ひがい》も少なくて済んだのだ。ケチじいなんて言われて、そのうえボケナスじゃ、人としてどうしようもないじゃないか。

石井さんのサイフがスられ、今夜の夕食の「ハスラー」は一体どうなるんだろうと思っていたが、それはしっかり者の木村さんがどうにかし、夕方には「ハスラー」に行くことになった。

革屋でスーツをオーダーしたT‐MAXの服も夕方までに無事できあがり、彼はそれを着たわけだが、なんともチンピラ風な様子である。石井さんもインチキ芸能プロ社長という感じだが、T‐MAXも石井さんの手下というか、よくもまァふたりそろって信用できないたたずまいをこんなにかもしだすものだと感心する。

石井さんはサイフをスられた後、ふてぶてしくもネクタイを買ったのだが、それをどこかに置き忘れたらしく、「ハスラー」に行く前に嘆《なげ》き悲しんでいた。もう何も言う気がしない。嘆くだけ嘆いたらさっさと「ハスラー」に連れてってうまいもんのひとつでも食わせろ、と思うのが精一杯《せいいっぱい》だ。

何も石井さんのお手柄《てがら》ではないが、「ハスラー」は素晴《すば》らしかった。大きな窓からローマが一望でき、沈《しず》みゆく夕日に照らされる街の美しいことと言ったらない。各国のスター達もよく訪《おとず》れるようで、私達のテーブルの近くにも、たぶんどこかの国のスターだと思うが、目のまわるような美人がいた。

ワインも料理もとてもおいしく、デザートもすごくおいしい。ローマに行く機会があれば、ぜひとも「ハスラー」はおすすめする。ちょっと高いけど、石井さんなんてサイフをスられてもこうして連れてってくれたわけだし、サイフをスられることを思ったら「ハスラー」で思いきってお金を使うのもいいと思う。

ローマはたった2泊《はく》しかしない予定だったので、「ハスラー」を出た後、我々はあわてて観光をすることにした。〝ローマは見るところが多いよ〟という話をよくきいていたが、夕食も終わったこんな遅《おそ》い時間に見ても全然よく見えやしない。昼間見たらきっとすごいんだろうなァと思うような遺跡《いせき》や古代建築物をザッと見て、あの有名な噴水《ふんすい》に行って一応後ろ向きでコインを投げ、けっこう酔っ払っていたので早々にホテルに戻《もど》って眠《ねむ》った。

翌日、明け方から激しい雷雨《らいう》に見舞われ、空港にたどり着くまで雷鳴がとどろいていた。

なんか、変わった旅だったよなァと思った。

宝石原産地の旅　スリランカ

前編

ALIDON
SAFETY FIRE WORKS
& CRACKERS
SARASWATHI STORES
Ananda Stores
GENERAL MERCHANT

宝石の店ギンザベルエトワールの岡本《おかもと》さんが「ぜひ一度、スリランカに行きませんか。いろんな宝石が採れるし、紅茶もおいしいし、とにかく素朴《そぼく》でいい国なんですよ。父ヒロシも一緒《いっしょ》に行くと喜ぶんじゃないかな。もちろん私が案内しますから」と、スリランカ行きをすすめて下さったので私と木村さんはその場でスケジュール帳を開いた。そして、その場ですぐにスリランカに行く日を決めた。

父ヒロシに「スリランカに行くんだけど、おとうさんも来る?」と言うとヒロシは「え、スリランカ!? 行きてぇなァスリランカ」とまるで一句詠《よ》んだかのような返事をし、そのあと「どこだっけ、スリランカ」と標語のような質問をした。

場所がわからなくてもとにかく行きたいようだ。私が「インドの下のほうにある島だよ」と言うと、ヒロシは「え、あれはマダガスカルじゃなかったっけ?」と言うので、「それはアフリカの下のほうにあるやつでしょ」と言ったのだが、ヒロシは私の答を信用せずに地球儀《ちきゅうぎ》をグルグル回してマダガスカルを見て、「おお、ホントにこりゃマダガスカルだ」と叫《さけ》んだ。だから私は最初からそれはマダガスカルだと言ったのに。

そしてヒロシはインドの下のほうのスリランカを見て「おお、これはスリランカだ」と再び叫んだ。だから最初からそれがスリランカだと私は言ったのだ。本当にいちいち効率の悪いオヤジだと思いつつ黙《だま》っていると、ヒロシは「おい、アレだよなァ、たしかさ、スリランカだったよな、イグアナだかリクガメがいっぱい住んでる島は」と言ったので、それはたぶんガラパゴス島のことを言っているのだろうと思ったが、面倒《めんどう》くさいのでもう私は黙っていた。

すぐにヒロシはスリランカに行くことを母に話した。「スリランカだよ。連れてってくれるんだってさ」とヒロシが言うと母は「何をしに?」ときいた。ヒロシは「えっ!?　さあ知らねぇけどよォ」とチラリと私の方を見たので私は『富士山』の取材だよ。岡本さんが案内してくれるんだって。スリランカって宝石がいっぱい採れるからさ。おとうさん、宝石を見るのが退屈《たいくつ》だったら、来ない方がいいよ」と言った。ヒロシはすかさず「オレぁ、宝石好きだぞ。ずっと前からな」と言ったが今までそんなことは一度もきいたことはない。なんでもいいからとにかく行きたいのだろう、スリランカに。

こうしてスリランカに行くことになったのだが、行く直前になってスリランカで暴動が起こったというニュースが入り、我々は不安になった。しかし、岡本さんの話では、スリランカではよく暴動が起こっていると報道されてはいるけれど、実際には限られた北部の一部で起こっているだけで、それ以外の地方は全く心配ないということだったので、我々の不安は解消された。

しかし、今回は一緒に行かない石井さんは「新潮社の木村と上田が暴動に巻き込まれてもどうにかなるが、さくらさんにもしものことがあったらどうにもならない」と、木村さんと上田君に大変失礼なことを言い、行かなくてもいいのに神社にお参りに行ったらしい。私が神社の神様だったら石井さんの願いなんてきいてやるものかと思うので、そんなことしてもらっちゃかえって心配になる一方というものだ。

石井さんの心配をよそに、我々はスリランカに出発した。岡本さんはヒロシのために、おいしい〆張鶴《しめはりつる》という日本酒をたくさん用意して下さり、空港で酒のおつまみまで買ってもらい、私とヒロシは申し訳なさでオロオロするばかりであった。

日本からスリランカまでの飛行時間は約9時間半だ。けっこう時間がかかる。それでもスリランカ行きの飛行機エアランカは、喫煙席《きつえんせき》が少しだけ用意されており、私とヒロシは心から喜んでいた。他《ほか》のどんなサービスがあるよりも、まずは喫煙席だ。

タバコを吸いながらヒロシは「よぉ、アレだよな。ヒコーキに乗るとさ、いっぱいへがでるよな」と言うので私も「そうだね。普段《ふだん》より多くでるよね」とヒロシの意見に賛成した。するとヒロシは「でもよぉ、ヘェこいても、別に臭《くさ》くねぇんだよな、これが」と言うので私は「そうなんだよ。私もいつも思ってたんだけどさ。いつもより臭くないよね」と答えるとヒロシは「どういうわけだか、不思議だよなァ、ヒコーキのへは」と言って黙った。ヒロシも、たまには人生の中で不思議だと感じることがあるんだなと私はぼんやり思った。

スリランカのコロンボ国際空港に着いたのは夜8時頃《ころ》だった。岡本さんのお店の支店のランカ・エトワールの皆《みな》さんが待っていて下さり、私達《わたしたち》はきれいな花をいただき歓迎《かんげい》された。

夜だというのにすごく暑い。赤道に近い国だということが実感される。車に乗り、外の景色を見ながらホテルに向かった。スリランカの夜の町は、東南アジア独特のなつかしさが漂《ただよ》っていた。

翌朝、オーストラリアからやってきた岡本さんの御家族《ごかぞく》がロビーで待っていた。奥様《おくさま》をはじめ、4人の娘《むすめ》さん達は私の作品を愛読して下さっているため、ヒロシをひと目見るなり大ウケだった。一見してウケる父というのもどういうもんかと思うが、このさいウケない父よりましだと思い私も笑いながらあいさつをした。

ヒロシもウケていたが、つられて私もなぜかみんなにウケてしまい、たいした意味のない笑いがあふれる楽しいあいさつの場となった。

今日は大変なのだ。岡本さんがスリランカの観光大臣と宝石大臣にヒロシと私をどうしても会わせてみたいと言うので、会いに行かなくてはならない。大臣の前で、ヒロシと私がどんな様子になるのかということが、さくら読者である岡本ファミリーの見どころなのであろう。

車の渋滞《じゅうたい》で、観光大臣のところに15分ばかり遅刻《ちこく》してしまった。観光大臣はちょっとヘソを曲げてしまったらしく、全員は会ってもらえないことになり、岡本さんと私とヒロシと、カメラ役の上田君だけが大臣室に入ることになった。せっかくヒロシと私の様子を見ることを楽しみにしていた岡本さんの奥様と娘さん達他、残りの仲間達とも別れて我々は室内に入った。

大臣室の中で、観光大臣は、思ったとおりちょっとプンプンな表情をしていた。岡本さんも私もヒロシも、「まずいよなー、この顔は…」と全員一致《いっち》で内心思ったが、とりあえず何となく笑顔《えがお》をしているしかなかった。特に英語をあんまり喋《しゃべ》れない私と英語をぜんぜん喋れないヒロシは笑っているしかない。こちらに敵意や悪意は全く無いということだけでも、この観光大臣にわかっていただきたい。

プンプンな観光大臣に、岡本さんはいきなり「今日は日本で超《ちょう》有名な人気者をつれてきたのだ」と大見得を切ったのだが観光大臣は「ふーん、そいつらが？・」という感じで横目で私とヒロシを見た。宇多田ヒカルとかグレイでもいりゃ大臣だって「ほう、ミスター岡本、久しぶり」とでも言って機嫌《きげん》を直してくれるだろうが、ここに居るのが私とヒロシじゃ馬鹿《ばか》にするなとイスのひとつも投げたかったろうに、よくぞこらえてくれたものだとあたしゃ手に汗握《あせにぎ》ったね。

機嫌の直らない観光大臣に対し、ミスター岡本は捨て身の反撃《はんげき》に出た。ヒロシを指し、「この人は、こう見えて、日本中誰《だれ》もが知っている父なんですよっ。大臣よりも有名なんだ。日本のゴッドファーザーと言ってもいい、そういう父なのだ」と叫んだ。

おいおいおい、と私は当然心で叫び、不自然な角度で首を下げて横目でヒロシを見てみると、ヒロシは「…何だかよくわかんねぇけどよォ」と絶対心の中で言っている顔をしながら仕方なくそこに存在していた。

どういう了見《りょうけん》でヒロシがゴッドファーザーで、私がそのファーザーの娘でこうしてスリランカの観光大臣の目の前で困っているのか、なんかもうどうでもいいから一刻も早く大臣の目の前から消えたかった。

しかし、大臣の前に私達親子を出してしまった以上、なんとかまとめないと引《ひ》っ込《こ》みがつかなくなってしまったミスター岡本は、汗をダラダラかきながら「この父の娘のこの人は、漫画《まんが》とかエッセイとか、そういうのをいろいろやってて、日本中の人達が面白《おもしろ》がって読むんです。うちの家族も全部読んでるんです」と私のことを必死で紹介《しょうかい》した。

「もういいから岡本さんっ」私は心の中で50回以上はそう言った。私が流暢《りゅうちょう》に英語を話せりゃ「私などどろくでもない物書きでございますので大臣さん、どうもすいませんでした」と言って頭を下げっぱなしでさっさと帰るのに、それができずにもどかしい。

ミスター岡本のファイトにより、観光大臣の機嫌は分刻みに良くなっていった。プンプンだった顔がフンフンというなずき系に変わり、そうこうしているうちにニッコリが飛び出すようになり、とうとう「じゃ、日本の皆様に、スリランカの長所をいっぱい伝えて下さいね」と好意的なまなざしで言いながら紅茶のギフ

3人の重要人物のうちの一人。国宝が見られて貴重な体験だったね

トセットをお土産《みやげ》にくれた。

やった、お土産をもらえばこの面会は成功だ。大臣は窓辺から見えるインド洋を指し、「ごらん、あれはインド洋だよ」と親切に私に教えてくれた。

観光大臣の次は宝石大臣だ。大臣のはしごという体験もそうめったにあるものではないから、ここはひとつ暑さを忘れてがんばらなくてはならない。宝石大臣は、ごく稀《まれ》にしか人に見せることはないというスリランカの国宝のスターサファイアとスタールビーとキャッツアイを見せてくれるのだそうだ。この国宝を金庫から出すためには、3人の重要人物がそれぞれ1個ずつカギを持っていて、その3人が揃《そろ》って初めて扉《とびら》が開くという、そんな大変な話なのだそうだ。だからどうしてもそれを見なければ、せっかくカギを持ってきてくれた3人の重要人物達にも申し分けが立たない。

宝石大臣の所に到着《とうちゃく》すると、宝石大臣らしき人は笑顔で私達を迎《むか》えてくれたので安心した。我々が着席するとすぐに、国宝がお盆《ぼん》にのせられてやってきた。

3人の重要人物達のカギが揃い、遂《つい》に国宝が姿を現したのだ!! 我々は、身を乗り出して国宝を見た。

スターサファイアもスタールビーもキャッツアイも、宝石にしては相当大きく、それぞれみかん位の大きさがあった。みんな「大きいね」と言って感心したが、岡本さんは、「大きいけれど、あんまりきれいじゃないな。オレの持ってるやつの方がきれいだなァ」とつぶやいた。それをきいた岡本さんの娘さんは少しあわてて「おとうさん、そこにいる宝石大臣のおつきのような人は、日本に何年間かいたって言ってたから、日本語わかるよ」と言った。岡本さんはチャララーンという表情になった。せっかく3人がかりでカギを開けたのに岡本さんちの宝石の方がキレイと言われた国宝って一体……と私も思ったが、そこは笑いをこらえて気をとり直し、どうにか無事にヒロシも大臣と握手《あくしゅ》をしてその場をしのいだ。

大臣のはしごを終え、岡本さんの経営する宝石店のスリランカ支店、ランカ・エトワールに行ってみると、宝石のバイヤー達がいっぱい岡本さんを待ち構えていた。

今から岡本さんは、このバイヤー達を相手に宝石の買いつけをするのだ。私も、ぜひそれを一緒に見たいと希望していたので、岡本さんの隣《となり》にイスを置いてもらい、岡本さんの子分になりすまして次々とバイヤーから手渡《てわた》される宝石を物色した。

その日は約4時間ほど宝石の物色をし続けた。でもまだまだ見たい。岡本さんも「まだまだ序の口ですよ」と言っていた。うれしいじゃないか。

ホテルに戻《もど》り、みんなで中華料理《ちゅうかりょうり》を食べることになった。岡本ファミリーはヒロシの一挙一動にウケまくり、ヒロシ人気はとどまるところを知らなかった。別に、ヒロシが何か気の利《き》いたことを言ったわけでもしたわけでもないのだが、みんな大笑いなのだ。

「おとうさん、こんなに人気があるなんてラッキー運がかなり上昇《じょうしょう》してるんじゃないの」と私が言うとヒロシは「ああそうだな、なんか今年はいよいよオレの年だって気がするな」と言った。

それをきいた岡本さんは「じゃ、ちょっと手相をみてみましょう」と言い、ヒロシの手相を見るなり「あっ、生命線がいっぺん消えているのに、その先にまた延びてるっ。運命線も二つに分かれてどんどん延びてるっ。これは珍《めずら》しいっ」と叫んだ。

ヒロシは「じゃ、やっぱり今年はオレの年だァ」と言ったので私も「そうかもね。生命線がいっぺん消えてるのにまた延び始めたなんて、おとうさん、今までの人生はもう終止符《しゅうしふ》を打ったってことだよ。あんた、本当の人生はこれからだよ。今年がヒロシ元年だね」と言うとみんな「そうだそうだ、2000年はヒロシ元年だ」と言いながら大笑いした。ま、こんな調子でヒロシは大ウケだったのだ。

翌日、コロンボから車で約4時間余り走った所にある、ラトナプーラという場所へ行った。車で4時間半もかかる所に行くのは大変なのだが、そこには宝石の採石場があるのでどうしても行ってみたかったのだ。

すごい田舎道《いなかみち》だった。熱帯の木や植物が、道の両側にいっぱい広がっていた。宝石の採石場にやっと到着し、全員車から降りた。そこには粗末《そまつ》な手掘《てぼ》りふうの井戸《いど》が4個ばかり点在しており、数名の男性が働いていた。

ブルドーザーみたいな大がかりな機械は何もない。この手掘りふうな井戸の中に、人が降りていって土を取り出し、それを溜《た》め池《いけ》の中で洗い、洗った砂利《じゃり》の中から原石を必死で探すという地道な作業の繰《く》り返《かえ》しなのだ。

井戸の深さは約20メートルもある。その中に、木で組んである足場を頼《たよ》りに降りてゆくのだから、ここで働く人達は危険だし大変だ。

そう思っていると、急に上田君が「オレ、ちょっと行ってきます」と、井戸の中に入る決意をしていたので驚《おどろ》いた。私は「よした方がいいよ」と一応止めたのだが上田君は「ここまで来て、この中に入らずにはいられませんよ。オレは入りたい」と言い残して井戸の中へ入っていった。

宝石原産地の旅　スリランカ

後編

スリランカの田舎《いなか》、ラトナプーラという所に行ったももこ達《たち》は、そこで手掘《てぼ》りふうの井戸《いど》を見学していた。この井戸は宝石を採るためのものだったが、『富士山』スタッフの上田君が「オレはこの中に入りたいっ」と叫《さけ》んで、みんなが止めるのもきかずに井戸の中へ降りていった。上田君の運命はいかに!?

上田君が井戸の中へ入っていった。入りたいと言って入っていったのだから、出てくるのを待つしかない。

出てくるまで井戸の中をのぞいていたって何も見えやしないし臭《くさ》いので、私は井戸から離《はな》れて適当にウロウロしていた。他《ほか》の人達は井戸の周りで上田君を待っていた。

まもなく、上田君は無事に出てきた。みんな拍手《はくしゅ》していた。

上田君は井戸の中で、スリランカ人の男に「アイムプアー、ユーアーリッチ。

ギブミーマネー」と言われたらしい。薄暗《うすぐら》く狭《せま》い井戸の底で、逃《に》げるに逃げられない状況《じょうきょう》の時「金よこせ」と言われるなんて、自分で望んだ井戸の中とはいうものの、上田君もさぞかし情ないやら馬鹿《ばか》らしいやらという心境だったであろうことよ。

井戸から出てきた上田君は、次に溜《た》め池《いけ》の中に入ってジャリを洗う作業もやっていた。

よくやるよなァと思う。汚《きたな》い水の中に入って、重いジャリを洗うなんて私はやらない。他の皆《みな》も誰《だれ》もやっていない。やってるのは上田君だけだ。

上田君が洗ったジャリの中から宝石の原石を探す作業には私も参加した。これだけはやりたいし、やった方が良い。

宝石の原石というものは、慣れないと全く見つけられない。単なる石ころと同じような姿でジャリの中に混じっているのだ。それでも、色合いのほんのわずかな違《ちが》いを手がかりにして根気よく探すしかない。

私は炎天下《えんてんか》で30分以上も原石を探すのに没頭《ぼっとう》した。40度以上の暑さだったが、没頭していたので別に暑いとも思わなかった。

30分間で、10個以上の原石を見つけた。たぶんクズ石ばかりだと思うが、それでも一応原石なのだからうれしかった。

岡本《おかもと》さんは私が10個も見つけたことに驚《おどろ》き「今まで何人か連れてきたことがあるけれどたいていい1個も見つからずに帰ってゆくか、もしも見つけても1~2個ですよ。たった30分で10個以上見つけたなんて信じられない。ものすごい集中力ですね」と言った。

ほめられて調子にのった私は「もっと採りたい」と言ったら岡本さんが「それ以上採ったら採石場の人達に怒《おこ》られますよ」と言ったのでやめることにした。現地の人達は原石を探すのに生活がかかっているのだ。観光客の私がやたらと採ったら怒るよなと思う。

採石場を去り、コロンボのホテルに戻《もど》るためにバスに乗った。途中《とちゅう》、どこかのホテルで食事をし、5時間かけてやっとコロンボに着いた。今日は、合計9時間以上バスに乗っていたことになる。9時間も乗り物に乗っているというのはけっこうハードだ。飛行機だったら日本まで帰れる時間だ。それが9時間かけてもスリランカ内の山奥《やまおく》へ行って戻ってくるだけなんて、宝石でも出なけりゃ決して行きたくないよなー、と思って疲《つか》れて眠《ねむ》った。

あくる日、岡本さんの寄付により建てられたという寺院に行った。

寺院の門の前で少年少女達が歓迎《かんげい》の踊《おど》りを披露《ひろう》してくれた。この寺院には孤児《こじ》院《いん》も建てられており、家族を失った男の子達が30人ぐらい養育されているという話だった。

我々が寺院の中に入ると、孤児の男の子達が全員集まってきて、『岡本さんを讃《たた》える歌』を合唱した。自分達で作詞作曲したらしい。

そのあとスリランカの神様に献花《けんか》をし、お坊《ぼう》さんの祈《いの》りの言葉を正座して聞いたのだが、祈りの言葉は長く、気温は高く、足はしびれ汗《あせ》は流れ、ヒロシの顔にハエがたかっていた。

礼拝堂を出て、ブッダの骨の入っているという仏舎利《ぶっしゃり》を見学し、そのそばに立っている大きな菩提樹《ぼだいじゅ》の下に立った。この木は、ブッダが悟《さと》りを開いた時にあっ

大きな目が印象的な男の子たち。きれいな瞳をしていた

たあの菩提樹の一部を移植して育てたものをここに運んできて植えたのだそうだ。だから、ブッダの悟りのエネルギーがまだ流れているのだと岡本さんは語った。

その木の下にたたずむヒロシを見て、少しは何か悟れよと私は思った。

夕食の時間になり、私達女子チームはサリーを着せてもらった。木村さんが赤いサリーを着た姿はド迫力《はくりょく》があり、笑っちゃ悪いが大笑いしてしまった。

孤児院の男の子達もみんな集まってにぎやかに食事をした。私はお坊さんのお母さんが作ったという、うぃろうに似たデザートが気に入り、それをやたらと食べて満腹になった。

満腹なのにまだそれを欲《ほ》しがり、とうとうお土産《みやげ》に持って帰るように包んでもらった。お坊さんは「…それをそんなに気に入ってもらってよかったです。母にも言っときます」と言って笑った。

男の子達はみんなにこにこしていて元気だったが、家族を失った悲しみを抱《かか》えているのだと思うと胸が痛くなった。この寺院ですこやかに育ってほしい。そういう願いをこめて私はひとりひとり頭をなでながら「またね」と言って別れを告げた。

次の日、コロンボから車で1時間余り走った所にある、ベルワラという町へ移動した。この町はたくさんの宝石商がいて、町に着いたとたんに私達は大勢の宝石商に囲まれて身動きがとれなくなった。

宝石商といっても、ここの宝石商のほとんどは別に立派な宝石商というわけではなく、汚いシャツや適当な変なズボンをはいて道端《みちばた》をウロウロしながらポケットからろくでもない石を取り出して売ろうとするという、そういった宝石商がやたらと多いのである。なので、囲まれてもただ暑苦しくて汗臭いだけでうれしくも何ともない。

岡本さんはたくさんの宝石商に囲まれながら、次々と手渡《てわた》される宝石を太陽の光線に透《す》かしたりして品定めをしていた。その姿は、誰が見ても「信頼《しんらい》できる宝石商はあの人だけだな」と、かなり遠くから見てもハッキリわかるほど1人だけ立派だった。

その日はそれぞれ散歩や探険に出かけたり宝石を見たりして勝手に過ごした。

私は夜まで宝石を見続け、ホテルから一歩も外に出なかった。

翌日も午後まで勝手に過ごしていた。木村さんやヒロシ達はプールに入ったりしていたが、私は室内やテラスをウロウロしたりジュースを飲んだり何か食べたりしていた。

その夜、夕飯の後で私達はホテルの裏庭で踊りと手品のショーを観《み》ることになっていたので決められた場所に集合した。

裏庭には、人数分のイスが置かれているだけだった。私達の人数分だけのイスだ。つまり、観客は我々だけというわけだ。

いつのまにかショーは始まっていた。わけのわからない飾《かざ》りを身につけた人が、激しくジャンプしたり回ったりしながら火のついた棒を振《ふ》りかざし、時々口から火を吹《ふ》いたりするのをみんなで見つめていた。

そんな踊りが20分余り続いた。踊りの後、おもむろに手品が始まった。ひとりのオヤジうだつのあがらないオヤジがふたり、我々の目の前に立った。ひとりのオヤジの帽子《ぼうし》には、ミレニアムと英語で弱々しく書かれていた。

もうひとりのオヤジが、次々と古典的な手品を披露してくれた。服の袖口《そでぐち》から死にそうなハトが2～3羽出てきたり、帽子の中からウサギ、そしてハサミで切ってもつながっているロープ、はずれたりはずれなかったりするリング、今さらスリランカでそんなもの見せられてどうするという手品が延々続いたが、皆酔《よ》っ払《ぱら》っていたために非常にウケ、実に素晴《すば》らしいショーを見たような気になった。オヤジもミレニアムの帽子をかぶってたかいがあったというものだ。

翌日、コロンボに戻り、夕方まで適当に過ごした後、岡本ファミリーに別れを告げて我々は帰国した。岡本ファミリーは別の飛行機でオーストラリアに帰って行った。

私がスリランカで見た物は、主に宝石だったのだが、それ以外にはプンプンに怒っていた観光大臣と上田君の入って行った井戸、寺院の子供達とホテルの変なショーだけだといえる。

その後、あの観光大臣が心不全だか脳溢血《のういっけつ》で急死したという話を岡本さんからきいた。

……何て言ったらいいか。スリランカ語で、何て言やいいんだろ、この心境。

何度も行きたい街　ベニス

まだ世界中を見たわけではないので、もしかしたらもっと好きな場所があるかもしれないが、今のところ私はベニスが一番好きといえる気がする。美しい場所は他《ほか》にもいろいろあるが、街の色気、個人的趣味《しゅみ》、食べ物の味など、総合点でいくとベニスはなかなか他に負けずに勝ち残るのだ。水の都なので交通手段がボートだったりして不便な点が、住むことを考えるとマイナスなのだが、別に住むわけじゃないとなると、この欠点さえ趣《おもむき》という長所に変わる。それでベニスはなかなか他に負けないわけだ。

それで何回も行きたくなる。できれば毎年1回は行きたい。あの石畳《いしだたみ》、車や自転車さえ通らない道、サンマルコ広場に流れる生演奏、陽《ひ》のあたるカフェに咲《さ》く花、ベネチアングラスが夢々しくきらめく街角、ゴンドラから見る水に映る景色、アイスクリーム、スパゲッティ…ああ、もうダメ。私はどうしてもベニスが好きだ。

それで木村さんを誘《さそ》ってベニスに行くことにしたのだが、ベニスに着いてみるとそこには石井さんの怪《あや》し気《げ》な姿があった。

どうやら、サッカーの試合を観《み》るためにベニスに先に来ていたようだ。石井さんは私達《わたしたち》を見つけると「よう」と言って歩み寄り、そして「ベニスはオレにまかせとけ」と、例のまかせろ発言をした。私と木村さんは「…まかせられないよね」とだけ言いホテルに向かうボートに乗った。

荷物をホテルの部屋に置き、すぐにベニスの街に出た。このベニスにいる時をひとときも無駄《むだ》にしてはいけない。私はベニスに来るといつもそう思い、休む間を惜《お》しんで歩き回り、ガラスショップや小物ショップに次々と飛《と》び込《こ》んで物色し続ける。

いくらガラス好きな人でも、たぶん私のこのベネチアングラス製品にかける情熱にはついてくるのが大変だろう。ましてや、それほど興味のない人にとっては、3時間も私につきあっていたらもうガラスを見るのも吐《は》き気《け》がするほど嫌《いや》になるんじゃないかと思う。

案の定、石井さんとカメラマンのT－MAXはすでに飽《あ》きているという態度が明らかに見えていた。彼《かれ》らは私が店に入っても中に入らずに外で若い女の子の足とか顔を見ていた。そっちは飽きることが無いようだったので、私は彼らに気がねせずに店を見ることができ、お互《たが》いに充実《じゅうじつ》した時間を過ごせることになり安心した。

ザッと街を見た後、夕暮れのサンマルコ広場のオープンカフェで、シャンパンを飲んでベニスに来たことを祝った。全員意味もなくハイテンションになっており、シャンパンをどんどん飲んで大いに楽しい気分になり、カフェのボーイをからかったり「ベニス万歳《ばんざい》!!」と叫《さけ》んだり、サンマルコ広場に沈《しず》みゆく夕陽が台無しといえば台無しだったが楽しかったことには違《ちが》いないので、まあいい。

その夜、石井さんはひとりでカジノに行き、不吉《ふきつ》な婆《ばあ》さんにつきまとわれて運を落とし、大損した挙げ句に帰りのボートが全然つかまらずに明け方まで彷徨《さまよ》い歩いていたらしい。どうせいつもの石井さん的夜の過ごし方だと思い、カジノの話の詳細《しょうさい》を誰《だれ》もきこうとしなかった。

寝不足《ねぶそく》の石井さんに同情せず、朝早くからムラノ島へ向かうボートに乗った。ムラノ島にはベネチアングラスの工場がズラリと並んでおり、工場直営の店もあるのでベネチアングラスの愛好家なら必ず行くべき島なのである。愛好家じゃない人は、わざわざ行かなくてもいい場所ともいえる。

着いた着いた。ムラノ島だよおっかさん。ついつい調子にのってそう言いたくなるほど私の気持ちは高まっていた。

波止場《はとば》に降り立ち、まっしぐらにメインストリートの隅《すみ》の店から順番に飛び込んでゆく。この島に来たら見たくなくてもガラスしか見る物はない。石井さんやT－MAXにも、たっぷりガラスを見てもらおうじゃないか。

そう思っていたのに、たった1時間弱ガラスショップを回っただけで、みんなランチを食べるためにレストランに行くと言い出して行ってしまった。

私は昼メシ抜《ぬ》きでガラスショップを回ることにし、みんなと別れた。ガラスを物色することに比べれば、昼メシを抜くことぐらい何でもない。

ひとりになった私は、ショップめぐりのスピードが更《さら》に加速し、まるでトムとジェリーの走り回る姿のように次々と店から店へ出入りを繰《く》り返《かえ》していた。

その努力により、メインストリートのほぼ全部の店を見終わり、美しくかわいらしいガラス製品をいっぱい買った。もうムラノ島に思い残すことは無い。また来る日までさようなら。

充実した気持ちで、みんなのいるレストランに行ってみると、全員ワインで酔《よ》っ払《ぱら》っており、「食べすぎだァ」などと言いながらもまだ酒を飲んで大騒《おおさわ》ぎしていたので呆《あき》れた。

石井さんやT‐MAXはともかく、木村さんまで酔っ払って食べすぎになっているなんて、一体みんなムラノ島に来ている意味をどう思っているのか。酔って食べすぎるだけなら、新橋ガード下あたりかジャンジャン横丁で充分じゃないか。

そう思ったが、私は黙《だま》っていた。そしてシャンパンを1杯《ぱい》もらい、疲れを癒《いや》した。

ムラノ島を去り、ブラーノ島という所へちょっと行ってベニス市街に戻《もど》った。

みんなで散歩し、夜はおいしいと評判のレストランへ行った。

ベニスのレストランはわりとどこに入ってもおいしい。肉も魚もパスタもデザートもワインもおいしい。気をつけないと三度の食事ごと満腹になり体重がすごく増える。気をつけていても2キロは増える。でも、ちょっとぐらい増えてもいいから食べときたい。

気持ち良く酔っ払い、きらめく街角を通り抜け、ホテルに帰るためにボートに乗った。

ボートから見る輝《かがや》くベニスの街が水面《みなも》に映り、空には形の良い月が浮《う》かんでいる。ゆっくり行《い》き交《か》うゴンドラ、向こうに見える船の上では小さな演奏会が開かれている。

死ぬほどロマンティックな風景の中で、私達は無言になっていた。皆《みな》、心の中で「…なんで一緒《いっしょ》にいるのがこいつらなんだろう…」と思っているのは明白だった。しかし、それが取材旅行というものなのだ。

取材旅行でない限り、ベニスは恋人《こいびと》同士か或《あ》いは仲の良い夫婦《ふうふ》で行くことをおすすめする。恋人がいなくても行きたいという人は、自分が相当ガラス好きかどうかよーく考えてから、同じぐらいガラス好きな友人とでも一緒に行くのが良いだろう。それでないと、必要以上にロマンティックな風景の中で、ただ単に食べ過ぎの日々を送ることになるよ。

食は広州にあるか、どうか!?

　ある日、木村さんと喋《しゃべ》っている時に、今まで食べた物の中で一番嫌《いや》だった物は何かという話になった。

　木村さんは「私はね、広州に行った時に、水ゴキブリっていうのを食べたんだけど、アレは嫌だったね」と言ったので私はイスから立ち上がって「ウッソ——っ」と叫《さけ》んで身をひいた。

　木村さんの話によれば、広州は「食は広州にあり」と言われるだけのことはあり、市場に行けば信じられないような生き物までいろいろ食材として売っているのだそうだ。

　行きたくないけど行ってみたい。気持ちわるいけどやたら気になる。これがプライベートで遊びに行くんならまず違《ちが》う所へ行くが、取材だったらチャンスかもしれない。

　そう思い、行くことにした。行くメンバーは私と『富士山』スタッフの葛岡《くずおか》君と広瀬《ひろせ》君と福島さんの4人だ。木村さんは、誘《さそ》ったけど来なかった。

広州は成田から飛行機の直行便があれば約4時間で着くのだが、あいにくまだ直行便がなかったため、羽田から関西国際空港まで行き、そこで乗りかえて行かなくてはならないため、なんやかんやで7時間ぐらい移動するだけで時間を費《つい》やした。

空港に着くと林《りん》さんという男性の方が待っていて下さり、我々はホテルにチェックインを済ませたあと、すぐにウワサの市場に行ってみることにした。

初めは漢方薬の売り場を見た。健康が趣味《しゅみ》の私にとっては、非常に興味深い売り場だ。

ズラリと並ぶ店先には、ヘビの干したのやトカゲを開いて干したのや、多数のキノコ類の干したのや、人参《にんじん》類の干したのや、何らかの粉末等、乾物《かんぶつ》系が大半を占《し》めていた。

まァ、このぐらいの品々は序の口だろう。ちょっとぐらい気持ちわるくても、乾燥《かんそう》させると意外とOKになるもので、やはり本気で気持ちが悪い物はナマに限る。

それほど望んでいるわけではなかったのだが、ナマの食材を売っている市場に行くことになった。望んではいなかったと言うものの、ここまで来て行かないで下さいと言われたらそれはそれでまた少し落胆《らくたん》するであろう。だから、行くことになったのは喜ばしいことだと思うのが筋だ。ホントはね……。

ナマ市場の入口から私の眼《め》のレンズに衝撃《しょうげき》映像が飛《と》び込《こ》んできた。なんと、生きたサソリがザクザクいっぱい入っている洗面器が3〜4個並べてあり、そのサソリを割りばしでつまみ上げて物色しているカップル客がいたのである。

「…あのサソリは、どうなってるんでしょうかねぇ、毒…」と私は弱々しい声で林さんに尋《たず》ねた。すると林さんは「毒は抜《ぬ》いてあります」とキッパリ答えた。それならいいけど、もしもそうでなかったら、おっちょこちょいが洗面器をひっくり返したとたんに大惨事《だいさんじ》になるところだ。

ふとサソリ売りの隣《となり》を見ると、女の人が平気なカオで、スズメの死体の毛をむしっていた。スズメはあざやかな手つきでツルリと皮だけにされ、くちばしもチョイとむしりとられて台の上に並べられた。

私は「キャー」と小声で叫び、葛岡君の肩《かた》を1回叩《たた》いてクルリと回って気絶しそうになった。気持ち悪いやら痛々しいやら、とんでもない気分だ。

さらに奥《おく》へ進んでゆくと、たくさんのいろんな種類のカメ達《たち》が食材として売られていた。うちでかわいがっているようなカメと同じような子もいた。

各種鳥類、カエル、ヘビ、ムカデや水ゴキブリ（ゲンゴロウのような生物）、ミミズの大きいやつ、たまにネコもいた。

私は頭がグラグラする感じを覚えていた。気分を食材に例えれば、アン肝《きも》のような気分といえるかもしれない。濃《こ》く重い感じだ。

その日の夕飯は、普《ふ》通《つう》の中華《ちゅうか》料理を食べに行ったのだが、メニューの中にスズメの姿《すがた》煮《に》みたいなのがあり、さっき市場で見たのと同じ姿で料理されて出てきた。

私はとてもじゃないけど食べられなかった。そればかりか、他《ほか》の一般的《いっぱんてき》な食材の料理すらなんとなくあまり喉《のど》を通らなかった。

私以外の皆《みんな》は、全員よく食べていた。何でもちゃんと食べていた。順応性があ

こんな大きいヘビまでビンの中に…やだねこりゃ…

り、立派なことだと思う。木村さんなんて、水ゴキブリまで食べたって言うんだから、たいしたもんだ。

なんだかものすごく疲《つか》れて、その夜は9時半に寝《ね》た。もう、グウグウ寝まくった。そして翌日、起きたのが朝の9時半だったので驚《おどろ》いた。丸12時間も眠《ねむ》ったのだ。やはり、ショックを受けていたせいもあるかと思う。

昼すぎから街に出かけた。漢方薬のヘビ屋に行ってみると、アルコール漬《づけ》にされたヘビの死体の入ったビンがズラリと並んでいた。かなり巨大《きよだい》なヘビの入っているビンもあり、壮絶《そうぜつ》な気配が店内に漂《ただよ》っている。

ひとつのビンに、5匹《ひき》ぐらい入っているのもある。ちっこいビンにちっこいヘビが入っているのもある。空ビンも大小幾《いく》つも売られている。自分で捕《と》ったヘビを漬けるのに使ったりするのだろうか。

ヘビの肝やヘビの干したやつも売っている。私と福島さんは、ヘビの肝を5～6個買ってみた。更《さら》に私は大量のアリの干したやつも買った。これを家でアルコール漬にして、飲んでみるのも体にいいかもしれないと思ったのだ。

ヘビ屋を出て昼食を食べに行った。この店で、カメのスープとサソリの唐揚《からあ》げが出て、私はまた食欲を失った。カメはダシをとられたあとの姿になり、テーブルの上に置かれていた。サソリはあのままの形でキツネ色に揚げられていた。私以外の皆は、またよく食べていた。全員カメのスープを3杯《ばい》ずつも飲んでいたのには呆《あき》れた。葛岡君などはサソリを非常に気に入り、残った分をホテルに持ち帰ることにした。

食後、『富士山』の私の変身コーナーのためのチャイナドレスを買いに大通りに行った。結婚《けっこん》式用のドレス等を売っている店が並んでいる通りで、広州の乙女《おとめ》達のあこがれの場所らしい。

小さな店先で見つけたチャイナドレスを試着したらピッタリだったので、それを買うことにした。3千5百円ぐらいなので「安いっ」と思わずみんなで言い合った。

クツや髪飾《かみかざ》りやせんす等も全部そろえても1万円ぐらいだったので、これはお買い得だ。もしもチャイナドレスをセットで欲《ほ》しいと思っている人は、広州に行ったらぜひ買おう。広州以外の他の中国の街でもけっこう安いんじゃないかと思う。

その後、デパートに行き、漢方薬に使ういろいろな材料を購入《こうにゅう》した。シカの角のスライスや、冬虫夏草、干しキノコ類、クコの実、人参類等、さっき買ったヘビの肝やアリと一緒《いっしょ》に漬けるための物をいっぱい買ったのに4千円ぐらいだったので、こちらもお買い得だ。

皆、漢方薬を買い、相当充実《じゅうじつ》した気持ちになった。「広州、けっこういいよね」等と言う声もきこえてきた。食材と、漢方薬に興味がある人にとっては、広州は本当に面白《おもしろ》い所だとは思う。

帰国し、早速《さっそく》漢方薬の材料を全部アルコール漬にした。広口ビン2個分、ヘビの肝や、大量のアリ等が入っているコレが出来上がるのは半年後だ。…どうしよう。とりあえず、木村さんに飲まそうかな。

やっぱりおいしいホンコン

JOYCE
VISA TOUR TICKETING
TSINGTAO BEER

とにかく上海《シャンハイ》ガニがおいしいから、ホンコンに食べに来てみなさい、とホンコンの知人のエルダンに誘《さそ》われたので、木村さんと一緒《いっしょ》に行くことにした。

ホンコンはずいぶん久しぶりだ。このまえ来た時は返還《へんかん》の前だったので、その後どう変化したのか見るのも楽しみだ。

飛行機の中などで、私と木村さんはまたガイドブックのおいしそうな食べ物屋の紹介《しょうかい》を見て、必要以上にお腹《なか》をすかせていた。

空港でエルダンが待っていてくれ、ホテルにチェックインした後、みんなで魚市場に出掛《でか》けた。

魚市場にはたくさんの魚やエビが、生きたまま水槽《すいそう》に入って売られていた。まるで水族館のようで見ていて楽しい。

私達《わたしたち》は、大きいエビ1匹《ぴき》と、小さいエビ数十匹と、イカとアワビとバカ貝のようなやつを買った。上海ガニは明日食べるので今日は買わないことにした。

市場の中にあるレストランに、今買ったばかりのエビや貝を持って行き、すぐに料理して出してもらうことにした。

エビも貝もイカも、全部刺身《さしみ》になって出てきた。店の人がしょうゆとワサビも持ってきてくれたので、私はすごくうれしかった。外国に行った時、おいしそうな新鮮《しんせん》な魚貝類があると「…ああ、本当はしょうゆとワサビで刺身にして食べるのが一番おいしいのに…」と思いながらも、刺身どころか必ず煮《に》たり焼いたりした物が出てくる。そして仕方なくそれを食べ、「…外国だからね」と諦《あきら》めるしかないのが常だ。

しょうゆとワサビまで備った刺身の盛り合わせに喜んだ私は、大エビの刺身から食べてみた。ひと切れが大きく肉厚だ。

エビの身はしっかりしており、ジューシーで甘《あま》く、しょうゆとワサビの味と見事に合い、実においしかった。イカもバカ貝もアワビもどれもこれもおいしい。こんなに高級な刺身をガツガツ食べられるなんて、それだけでもホンコンに来たかいがあった。木村さんもガツガツ食っている。きっと、ホンコンに来たかいがあったと同じように思っているだろう。

　刺身のあとにヤキソバを注文し、食べたのだが、このヤキソバも細麺《ほそめん》で何だか知らないけどやけにおいしかった。オレンジジュースもやたらとおいしい。エルダンの話では、ホンコンのオレンジジュースは、アメリカから輸入したオレンジを3カ月位寝《ね》かせてからその場で搾《しぼ》るので甘みが強くておいしいのだそうだ。

　私達はお腹がいっぱいになったのに、まだ「甘い物が食べたい」と言い、エルダンにおいしい甘い物屋に連れて行ってもらった。

　その店は、たまたま私と木村さんがガイドブックでチェックしていた店だったので喜びは倍増した。店に入り、早速《さっそく》ガイドブックに載《の》っていた豆腐《とうふ》のデザートを注文した。

　この豆腐のデザートとは、最近ホンコンで人気があるらしく、日本にもある絹ごし豆腐を更《さら》にやわらかくツルンツルンにしたような感じの豆腐の上に甘い汁《しる》をかけて食べるというもので、これが何とも言えずおいしい。

私と木村さんは、それを何回もおかわりした。私達って、よくこんなに食べるよなーと思う。豆腐のデザート以外にも、蒸《む》しカステラとかゴマのデザートとか、まんじゅうのような物とかゼリーなんかも食べているのだ。それでもお互《たが》いに「もう苦しいからいらない」とか言わないので、なかなか収拾《しゅうしゅう》がつかない。

ホテルに戻《もど》る途中《とちゅう》で、またオレンジジュースを飲むことにした。果物屋の店先でジュースを作って売っているのを発見したのだ。

ジュースは、さっきの魚市場のレストランのよりもますますおいしかった。ホンコンのオレンジジュースのおいしさは、世界レベルで考えてもかなり上の方に入ると思う。

オレンジジュースにより、やっと私達の暴飲暴食は終わった。あとは明日に備えて寝るだけだ。

早寝したのに、翌朝9時まで眠《ねむ》ってしまった。ちょっと寝坊《ねぼう》した。大急ぎで健康食品を飲み、シャワーを浴びてロビーに行くと、既《すで》にみんな待っていた。

ああ…
洗面器ぐらいの大きさの入れ物にたっぷり入ってる豆腐デザート
おいしい

まずは軽く昼食をとり、そのあとペニンシュラホテルという、ホンコンで有名な立派なホテルに行った。そこには、いっぱいブランドの店が入っているのだ。私はそこでコートとえりまきと、クッと服を買い冬支度《ふゆじたく》に備えた。取材に行ったついでに衣類を買えるので『富士山』の仕事ってホントに便利だ。

夕方、私達は上海ガニを買いに繁華街《はんかがい》へ出た。上海ガニのシーズン中は、街の中にたくさんのカニ売り屋が点在している。どの店もとても小さいのだが、棚《たな》にはヒモで縛《しば》られた上海ガニがずらりと並び、日本では見られない光景が愉快《ゆかい》だ。

エルダンは、とっておきのカニ屋に連れて行ってくれた。この店のカニが一番おいしいらしい。更にエルダンは、とっておきの店のカニの中でもとっておきのやつを自ら選び、とっておき中《ちゅう》のとっておきをたくさん買った。

カニを持ってエルダンの両親の家に行った。エルダンの両親は初対面の私達を歓迎《かんげい》して下さり、お母さんの手作りの家庭料理を次々と出してくれた。どれもおいしくて、よその国で家庭料理をいただくことなんてめったにないから私も木村さんも大喜びだった。

エルダン一家は私達を優しく明るく迎えてくれて嬉しかったよ

お料理に加え、めったに手に入らないという、幻《まぼろし》の紹興酒《しょうこうしゅ》もふるまって下さった。その味は、とろけるような甘さと良い香《かお》りで、桃源郷《とうげんきょう》のイメージだ。私も木村さんも、感激で目がうるんだ。

そこへ、上海ガニがやってきた。カニの腹を割ってみると、大量のオレンジ色の卵がトロトロで入っており、極上《ごくじょう》モンだ。

そりゃもうおいしいったら。おいしくておいしくて、この世の全《すべ》てに感謝が湧《わ》くほどだ。この上海ガニの腹の中の卵は人にそう思わせるほどの実力がある。ちょっとさっきの紹興酒を飲むとまたこれもかなり良い。

私は、3匹もカニを食べてしまった。ものすごく贅沢《ぜいたく》な事をしてしまったと思う。なんか、エルダンにもエルダンの御両親《ごりょうしん》にも急に申し訳なくなってきた。私の目の前には、3匹のカニのカラやゴミでいっぱいだ。

「…すいません。カニ、こんなに食べちゃって…」と言うと、エルダンの家族はニコニコ笑って「また来年も食べに来て下さい」とおっしゃってくれた。

たぶん、ホントに来年も私と木村さんは来るだろう。たとえそれが、『富士山』

の取材とは全く関係がないとしても……。

私と木村さんはホテルに戻り、ホンコンの夜景が一望できるバーで酒を飲みながらカニの話をしていた。そしてお互いに「こんなムーディーなバーで、隣《となり》にいるのが木村さんなんて…（木村さんの方は「さくらさんなんて」）」と思っていた。でも、私と木村さんはだいたいムーディーな場に一緒に居合わせることが多く、しかもしている話は食べ物の事というのがおなじみなので、今回の旅も正しい幕の降り方だといえる。

翌日、家に帰り私は胃が少し痛くなった。でも、原因は食べすぎだということが自分でわかっていたので、冷静にうけとめつつ自己流に治した。あんなにいっぱいおいしい物を食べる経験をしたんだから、胃の痛みなんてへっちゃらだよ。

チベット　高山病の旅

ある日、ふと〝『富士山』にも、何かアカデミックな感じのする記事があった方がいいんじゃないか⁉　例えばチベットの記事とか。うん、そうだ。チベットの記事があれば、何となく賢《かしこ》そうな雑誌に見えるぞ。よし、チベットの取材をしよう〟と思いついた。

早速《さっそく》、木村さんに相談したところ「ああ、チベット‼　いいね。1回行ってみたかったんだ。行こう行こう」と、大乗り気だった。

それで木村さんはチベット行きの手配をしてくれたのだが、私はチベットに行く日が近づくにつれ、だんだん行きたくなくなってきた。

なぜなら、チベットのガイドブックに高山病の事が載《の》っていたからだ。チベットは低い所でも富士山と同じ位の標高があり、約20パーセントの確率で高山病にかかる人がでるという。

高山病になると、頭がひどく痛むらしい。高い場所だから酸素が薄《うす》く、気圧の違《ちが》いも重なって、高山病になるのだろう。高山病になった場合は、下手に頭痛薬を飲んだりせずにとにかく寝《ね》て安静にしているしかないようだ。頭痛が治るまで我慢《がまん》できない人や、ひどい場合はヘリコプターでチベットから降りる事もあるらしい。

高山病の事など知らずにチベットに行きたい等と言ってしまったが、知ってしまったからにはかなり行きたくなくなった。私は健康には気をつけているが、高山病は健康に気をつけていようがいまいが、かかる人はかかるらしいのだ。

高山病にかかるかもしれない。かかったらさぞ辛《つら》いだろう。そんなひどい目にあってまで、チベットに行かなくてもいいんじゃないか。やめた方がいい気がする。……が、かからないかもしれない。20パーセントの確率でかかるというのだから、80パーセントは大丈夫《だいじょうぶ》なのだ。大丈夫だとしたら、この機会に一度はチベットに行くのもいいとは思う。

私はずいぶん悩《なや》んだ。『チベット死者の書』とか曼陀羅《まんだら》とか寺院とか、スピリチュアルなイメージがムンムン漂《ただよ》うあの場所に行ってみたいという気持ちはたっぷりあるが、高山病になったら台無しだ。何も見られずに帰ってくるか、下手すりゃ『チベット死者の書』を自分の枕元《まくらもと》で読まれて鳥葬《ちょうそう》されたりするかもしれない。

どうしようかと悩んだまま日々が過ぎ、やっぱりチベットはやめようと決心して木村さんに「チベットじゃなくて、イスタンブールにしよう」と申し出た。するど木村さんは「もう今からじゃ、変更《へんこう》はムリだよ」と答えた。どうしてもチベットに行かなくてはならなくなってしまったのだ。

仕方ないのでチベットのガイドブックで更《さら》にチベットについて調べたところ、気温は昼と夜では差が激しく、ホテルはあまりパッとしたのが無く、食べ物は日本人の口には合わず、変な臭《にお》いのする場所も多く、酸素が少ないために荷物が重たく感じられ、酒もタバコも控《ひか》えた方が良いと書かれていた。

正直言って、悪い情報ばかりだった。一体私は何をしにチベットへ行こうというのか。行く前から早く帰りたい気持ちでいっぱいだ。

ちょうど中国の国内線の飛行機が相次いで墜落《ついらく》したというニュースも入ってき

た。気が重くなる一方だ。でもイスタンブールに変更する事はもうできない。チベット旅行に出る3日前、私はひどい頭痛に襲《おそ》われ、ひと晩ウンウンうなりながら苦しんだ。チベットに行ってもいないのに高山病になったんじゃないかと真剣《しんけん》に考えてしまった。こんな事で生きて帰って来れるだろうか。

出発当日、息子《むすこ》が抱《だ》きついて離《はな》れず、「おかあさん…行かないで。お願いだから…」と言ってさめざめと泣き出した。

今回の旅行には、幼い息子ですら何か言い知れぬ危機感を抱《いだ》いているのだろう。あまりにも息子が泣くので、私もかすかに〝もしかしたらこれが息子との永遠の別れになるかもしれない…〟という気持ちがよぎり、思わずつられて少し泣いてしまった。

泣き別れをしている私達《わたしたち》の姿をチラリと母が見て、ヒロシと一緒《いっしょ》に「ばかだねー」と言って大笑いしている声がきこえたが、私と息子は抱き合って泣き続けていた。

抱きつく息子の手をふり払《はら》い、「じゃあね」と言って玄関《げんかん》の扉《とびら》を閉めると、家の中で泣き崩《くず》れる息子の声がきこえてきて本当に辛かった。玄関先で泣き続けていた息子の顔がいつまでも心に焼きついて離れないまま日本から旅立った。

中国の広州で1泊《ぱく》し、翌日チベットへ向かった。

チベットのラサ空港へ着いた時から、私は少し頭痛を感じ始めていた。

〝高山病かもしれない…‼〟私はそう思ったが、もしかしたら違うかもしれないので黙《だま》っていた。

ラサ空港から専用バスで、町の中心部へ向かった。バスの中でチベットのガイドさんの鄢《えん》さんが、「みなさん、ようこそチベットへいらっしゃいました。チベットへ来る人の中には、高山病を心配する人がいますが、これは病気ではありません。私達は高山反応と言っています。標高の低い所から高い所に来た時に、人間の体が反応するだけなのです。なので病気ではありませんが、頭痛がしたり、その他いろいろな反応が起こるかもしれません。でもあまり心配しすぎると、かえって良くないので、なるべく気にしないようにしましょう」と説明してくれた。

その説明をききながら、既《すで》に私の頭は気にしたくなくても気にせざる得ない程《ほど》、ズキズキと痛くなっていた。まだチベットに着いて20分も経《た》っていないのに、高山反応ってこんなに早く出るものなのだろうか。

誰《だれ》かが「あの、高山反応って、チベットに着いてからどのぐらいで出るものなのでしょうか」とガイドさんに質問した。

良い質問だ、と私は内心思いながら答を待った。するとガイドさんは「人によって違いますが、だいたい、着いたその日の夜ぐらいから、翌日とかですね」と答えた。

それじゃやっぱり私のこの頭痛は違うんだろうか。高山反応にしては早すぎる。気のせい…にしてはハッキリと痛いけれど、気のせいかもしれないからもう少し我慢していよう。

そう思い、バスの中でじっと目をつむり、眠《ねむ》っていた。眠っている間もズキズキと頭が痛かったが、目を開けているのも辛いので眠り続けた。どうも気のせいじゃなさそうだ。

空港から街の中心部までは92キロもあるという話だったので、バスに乗ってい

ガイドをしてくれた鄢さん（右）と謝さん。お世話になりました

る時間は長かった。私は眠っていたので、途中《とちゅう》の景色を全く見ていなかったのだが、ふと目が覚めて窓の外を見ると、大きな川と山と青空が広がる雄大《ゆうだい》な風景が飛《と》び込《こ》んできた。

バスは少し停車し、木村さんと小林さんとうちのスタッフのマコちゃんは、車を降りて写真を撮《と》りに行った。

私も一応車の外へ出てみたが、頭が痛くて立っているのも辛かったのでバスの中に戻《もど》る事にした。こんな雄大な景色、めったに見る事はできないのに頭が痛いなんて残念だ。

私の体調の変化に気づいた中国人ガイドの謝さんは「少し頭がクラクラしますか?」と尋《たず》ねてくれたので、私も「…はい、少し」とホントはすごく頭がズキズキしていたけれど控えめに答えた。

すると謝さんは「高山反応が出始めたのかもしれませんね。あまりムリしない方がいいですよ」と言ったので、私は心の中で〝もうバリバリに反応しまくってると思うんだけど…〟とつぶやいた。

やっとバスがホテルに着いた頃《ころ》には、私の体は居ても立ってもいられない程辛くなっていた。頭痛はもちろん、首、肩《かた》、背中、腰《こし》まで、痛みは広がっていた。「…ちょっと体が辛いので、私は夕食いらないよ。マッサージだけお願いします」と言い残し、部屋に入ってベッドに倒《たお》れ込《こ》んだ。

何もできない状態だったが、息子にだけは電話をしなくてはならない。毎日電話をする約束をしていたのだ。

どうにか受話器を取り、家に電話をかけると、すぐに息子が出た。

私は弱々しい声で「…今ね、チベットのホテルに着いたんだけど、おかあさん高山病になっちゃってね、頭がすごく痛いんだ」と伝えると、息子は「ええっ…どうしよう、おかあさん、しっかりして。死なないでよ。おかあさんっ」と電話の向こうで泣き声で叫《さけ》んでいた。出発前からあんなに心配していた息子が、いよいよ本番の危機に直面している母の声をきき、不安で動揺《どうよう》している感じが電話ごしに伝わってきた。

こんなに心配かけて本当にかわいそうな事をしているよなァと思ってはいたが、

ムリして元気な声を出す事もできないまま「…じゃ、また明日電話するね。ごめん」と言って受話器を置いた。

ベッドに横になってじっとしていても辛い。でも起きていられない。目をあけても閉じてもどうしても辛い。頭の痛みが脈のリズムと同じようにズキンズキンと響《ひび》くだけだ。

頭以外の体の痛みも、何だか良くわからないがとにかく辛い。マッサージしたぐらいでは良くなりそうもないが、してもらわないよりは良いのかな……。

木村さん達がホテルの人に頼《たの》んで、酸素袋《さんそぶくろ》を持って来てくれた。ゴム製の枕みたいな袋に、酸素がパンパンに入っており、チューブを鼻の穴に突《つ》っ込《こ》んで酸素を吸い込むという簡単な仕組みの物だった。

しばらくそれで酸素を吸ってみたが、一向に良くなる気配はなかった。酸素と共にゴムの臭いが鼻から入ってきて、少し気持ち悪くなってしまった。小林さんが頭痛薬をくれたが、〝高山病には頭痛薬は飲まない方が良い〟という記事を読んでいたため、飲みたかったが飲まないで我慢する事にした。

そうこうしているうちに、マッサージのお姉さんがやって来た。若いお姉さんだったが、頭の先から足の先まで、ていねいにいっしょうけんめいマッサージしてくれた。

にもかかわらず、私の体は何ひとつ楽にはならなかった。

ひと晩中、頭痛と体の痛みにうなされ続けた。今回の旅はサバイバル・スクールに行った時より辛いかもしれない。

痛みで眠れないので何度も寝返りを打ち、泣こうとも思ってないのに少し涙《なみだ》も出ていた。目が涙でぬれているのを感じながら、よっぽど辛いんだなァと他人事《ひとごと》のように自分で感じたりした。

たまに高山病で死ぬ人もいると言われているが、私は大丈夫なのだろうかという不安もよぎった。頭だけでなく体中が痛いなんてマズイんじゃないか。ああ、ホントに『チベット死者の書』を本場のこの土地で誰かに読まれて鳥葬されるのかもなァ……と、痛む頭を抱《かか》えながら心細くなったりもした。

長い夜が明け、朝になってもまだ少しも体調は良くなっていなかった。

グッタリとだらしなく倒れている私を見てチベットのガイドの鄢さんは「お医者さんに来てもらいましょう。お医者さんに頼んで、点滴《てんてき》と酸素をしてもらうと、かなり良くなると思います」と言って、早速お医者さんを呼びに行ってくれた。

点滴と酸素か…それは良くなるかもな、と私は痛む頭で考えて期待した。体が弱っている時に点滴をすると即効性《そっこうせい》があるのはよく知っている。それと共に酸素を吸入すれば、かなり良くなるに違いない。

まもなくお医者さんと看護婦さんがやって来た。お医者さんが私の脈を調べたりして、「標準的な高山反応ですね」と告げた。これが標準というのなら、ひどい人が死ぬ場合もあるというのも納得《なっとく》できる。

直ちに酸素ボンベで酸素吸入が開始され、看護婦さんが点滴を打ってくれた。点滴は、部屋の電気スタンドに吊《つ》り下《さ》げられ、ホテルの室内は本物の病室のようになった。

治療《ちりょう》開始から、わずか10分足らずでものすごく体が楽になった。あんなに痛かった頭がほとんど痛くない。体の痛みも激減している。

自分の体ながら、なんてゲンキンなもんだろうと呆《あき》れる思いがした。足りない物を補ってやれば、こうもすぐに調子が良くなるのだから、毎日ビタミン等を補う事はやっぱり必要だよなァと、改めて健康管理の大切さも痛感した。

約90分間の点滴が終わると、私の体はすっかり良くなっていた。念のためにお医者さんがくれた高山病の薬も飲み、午後からは取材をしに街へ出る事にした。

街に出る前に家に電話をかけてみると、すぐに息子がでたので、「もう頭痛いの治ったよ。お医者さんに来てもらったんだ」と報告すると、息子は「ああよかった。でも、まだチベットにいるんでしょ。おかあさん、気をつけてよ。早く帰ってきてよ」と何度も言っていた。母も電話にでて「あんた、本当に大丈夫かね」と、さすがに心配をしている様子だった。母の話によれば、息子は心配のあまり、食欲も元気も無くなっているらしかった。

私は息子に「ちゃんと御飯《ごはん》を食べるんだよ」と言い残して電話を切った。今すぐにでも家に帰って息子を抱きしめてあげたいが、せっかく高山病が治ったのだからがんばって取材をしなくてはならない。

鄢さんの案内で、大昭寺寺院に行った。鮮《あざ》やかな色彩《しきさい》の仏像や仏画がたくさん並んでいて、訪《おとず》れる人々はマニ車を片手に持っているという、チベットらしい光景が見られた。

古い仏像は、幾《いく》つもの小さな部屋に置かれていて、参拝者は小窓からそっとのぞいて見て回るのだが、それらの古い仏像の中には、ハッとするほど見事な物もたくさんあった。

寺院を出て、次はラサの繁華《はんか》街《がい》に行った。繁華街と言っても小さな店や屋台が並ぶ、バザールふうなストリートだ。

店には曼陀羅やタンカ（仏画）やマニ車や首飾《くびかざ》りや骨董品《こっとうひん》みたいな物がいっぱい並んでいる。

鄢さんが「今から、チベットで一番良い品を売っている店に行きましょう。この店の物は信用できます。値段の高い物は、美術館などが買ってゆくような品もある店です。見るだけでも勉強になりますよ」と言って、その店に連れて行ってくれた。

鄒さんの言った通り、その店には何百万円もするような素晴《すば》らしい芸術品がたくさんあった。古い曼陀羅やタンカ等は、その細かさに目をみはるばかりだ。人の手仕事でここまで描《か》けるとは思えないような絵が描かれている。デザインも色彩もシブくて良い。ずっと見ていても見飽《みあ》きない。見れば見るほど発見があり、絵の中に引き込まれてしまう。

新しい作品は2千円から5万円ぐらいで売っていた。お土産《みやげ》で買って帰るには充分《じゅうぶん》良く描けている。大きな作品は、チベットの僧達《そうたち》が何カ月もかかって描くのだそうだ。みんな、修行《しゅぎょう》とはいえ根気があるよなァと感心する。

こんなにいっしょうけんめい描いた曼陀羅をお土産に持って帰ってしまってもいいのかなと思いつつ、私は自分の分と人にあげる分を何枚か買った。

夕飯は、鄒さんがおすすめのキノコ料理屋に行く事になった。私はキノコ類が大好物なのでとてもうれしかった。

店に着くと、テーブルの中央に烏《う》骨鶏《こっけい》が丸ごと1羽入ったスープ鍋《なべ》が置かれた。次に、いろいろな種類のキノコが次々に並べられた。アミガサダケやマツタケ等、日本ではとても高価なキノコも山盛りで登場し、我々はそのたびに歓声《かんせい》をあげた。

烏骨鶏のダシが良く効いたスープで食べるキノコはとてもおいしかった。私はさっきまで高山病で苦しんでいたとは思えない程よく食べた。他《ほか》のみんなもとてもたくさん食べていた。チベットの食事は日本人の口には合わないと言われていたが、このキノコ料理は日本人の好みの味だ。キノコ好きな人にはぜひおすすめする。

翌朝、まだ暗いうちに我々は空港に向かった。車の中から夜明けの空と山々が見え、幻想的《げんそうてき》な風景を見る事ができた。親切なガイドの鄢さんにお礼を言って別れを告げ、ヒコーキに乗った。

ひとりだけ高山病になり、治ったとたんにチベットを去る私って一体…と思っていた事は言うまでもない。

中国雲南省　お茶買いの旅

鹿源客栈
鹿源客栈

チベットの帰りに、中国の雲南省《うんなんしょう》へ寄る事にした。『ももこのトンデモ大冒険《だいぼうけん》』（徳間書店刊）の取材で雲南省の麗江《れいこう》に行き、そこで漢方薬の和士秀《わししゅう》先生というおじいさんに会いに行ったのだが、とても趣《おもむ》き深い美しい所だったので、ぜひもう一度行きたいと思っていたのだ。

そして、また中国茶を買いたいと思っていた。実は香港《ホンコン》で買ったお茶が、もうそろそろ無くなりかけているのだ。あんなにたくさん買ったつもりだったが、わりとあっさり減ってしまった。

雲南省はプーアール茶の産地だ。質の高いプーアール茶の宝庫で、年代物の貴重なお茶が安く買える。しかも、プーアール以外にも香《かお》りの良いお茶がいろいろあり、雲南省に行かなければ買えない種類も多いのだ。

雲南省に秘《ひ》めた私の中国茶への想《おも》いは、ちょいとハンパじゃないよなと、自分でも感じていた。チベットのついでに雲南省へ寄ろうと言ってはいるものの、自分ではどちらかというと雲南省のついでにチベットに行ったつもりになっているぐらい、事実上の本命の場所が雲南なのだ。

昆明《こんめい》の空港に着くと、宋《そう》さんという男性のガイドさんが待っていて下さった。

私は宋さんにいきなり「あの、私、お茶が欲《ほ》しいんです。早速《さっそく》、宋さんのおすすめのお茶屋さんに連れて行ってもらえませんか?」と申し出た。

宋さんは急な申し出に一瞬《いっしゅん》「えっ⁉　お茶屋さんですか⁉」と軽く驚《おどろ》いたが、「わかりました。ホテルの近くに私の知っている良いお茶屋さんがありますので、一緒《いっしょ》に行きましょう」と言ってくれた。

ホテルの周辺には、小さなお茶屋さんがたくさん並んでいて、その景色を見るだけでもワクワクしてくる。

宋さんが連れて行ってくれたのも、そんな中の小さな1軒《けん》のお茶屋さんだった。

店の中には、ダウンタウンのマッちゃんにちょっと似た顔の若い御主人《ごしゅじん》が店番をしていた。

宋さんが「気になるお茶があれば、試飲させてくれるので、言って下さい」と言ったので、何種類も遠慮《えんりょ》せずに試飲させてもらった。

ひととおり試飲させてもらった後、私は「じゃ、注文させてもらいます。ジャスミンを2キロと、酔美人《すいびじん》ていうやつも2キロ、雲南紅茶を3キロ、それからプーアールの25年てのを500グラム下さい」と言ったら、マッちゃんに似た御主人と宋さんはひっくり返りそうなぐらい驚き、呆然《ぼうぜん》とした。

マッちゃんは、「…お茶のお店やってるんですか?」と私に尋《たず》ねたので、私は「いいえ、ただ中国茶が好きで家で飲むだけなんですけど」と答えると、今度は宋さんが「家で飲むだけなら、多すぎるんじゃないですか?」と言った。

確かに、観光客がお土産《みやげ》に買って帰るお茶の量としては多すぎるかもしれない。しかし、私は雲南省のお茶が大好きで、今度いつ来るチャンスがあるかわからないから、たくさん買い溜《か》《だ》めをしておきたいのだ。雲南省のお茶が無くなると悲しいから、今このチャンスに悔《く》いを残したくない。

というお茶への想いを宋さんに語ると、宋さんは「なるほど、よくわかりました。確かに、次に雲南省へ来る機会はいつになるかわからないですから、今たくさん買われた方がいいですよね」と、深く理解してくれた。

それで私は更《さら》に買う事にした。店に飾《かざ》ってあった太い棒状のプーアール茶を指し「アレを半分下さい」と言ったために、マッちゃんはノコギリを取り出し、店員と2人がかりでその棒を切るのに汗《あせ》だくになった。

「できれば、お茶を入れてある缶《かん》も売って欲しいのですが…」と言うと、マッちゃんは「この缶は売り物じゃないけれど、欲しいんだったらあげます」と言って、3個もくれた。おまけに茶道具セットまでプレゼントしてくれたうえに、小さいお茶を全員に下さった。マッちゃん、ありがとう。

私の買ったお茶は合計で20キログらいになり、持って帰る事は不可能だと誰《だれ》もが思った。

宋さんが「もしよろしければ、宅配便で送りましょうか。私の婚約者《こんやくしゃ》が、宅配便の仕事をしておりますので、それを利用していただいてもけっこうですし、郵便局からでもけっこうですよ」と言ってくれたので、私は「ぜひ、宋さんの婚約者さんの宅配便を利用させて下さい」とお願いした。

ガイドの宋さんは優しくて頼りになる人

海外から荷物を送るのは心配なのだが、宋さんになら安心して頼《たの》める。まだ宋さんに会ったばかりなのに、宋さんが善良でやさしい人柄《ひとがら》だという事がとても伝わってきて、私達《わたしたち》全員が宋さんを大好きになっていた。

その日の夕飯は宋さんも交えて、ホテルで楽しく中華《ちゅうか》料理を食べた。宋さんは私が『ちびまる子ちゃん』の作者だと知り、すごくビックリしていた。

翌朝、宋さんと共に昆明から麗江へ飛行機で向かった。麗江は和士秀先生のいる美しい場所だ。

麗江に着き、バスから見える景色をなつかしい気持ちで眺《なが》めながらホテルに向かい、チェックインを済ませてすぐに、近くの東河村という古い小さな村に行った。

何とも趣き深い古い家並の美しさ、そこに流れる温かくのどかな空気に、みんな心から感動していた。

村の人々は親しみを込《こ》めた笑顔《えがお》で旅人を気さくに歓迎《かんげい》してくれる。民家の庭を見学しに行っただけで、お茶やお菓子《かし》を出してくれる家もあり、なんてやさしく平和で幸せな所なのだろうと心が洗われる思いがする。

土壁《つちかべ》に瓦屋根《かわらやね》の家が並び、陽《ひ》のあたる狭《せま》い道を牛車が通る光景は、自分が生まれるよりもっと昔の風景のはずなのになぜかいつか見たような気持ちになる。

食べ物は新鮮《しんせん》な野菜や肉を使って全《すべ》て自分達で料理する。ハム等の保存食も手作りだ。家の屋根裏にハムが吊《つ》り下《さ》がっているのが外からも見える。麗江の女性は働き者なのだ。

犬やネコを飼っている家も多く、小さい赤ちゃんや子供達もとてもかわいがって大切に育てられていた。動物も子供達も、ものすごく可愛《かわい》らしくて、見かけるたびに近寄って抱《だ》っこしたくなってしまう。

保育園の前を通ると、建物の中から歌声がきこえてきたので、ちょっとのぞいて見る事にした。

建物の中には3歳《さい》ぐらいの小さな子達がいっぱいいて、私達の姿を見ると喜びの表情をいっせいに浮《う》かべた。

先生が、私達のために歓迎の歌を子供達と歌ってくれた。私がひとりひとりの子供と握手《あくしゅ》をしたり頭をなでたりしに行くと、どの子も照れながらうれしそうに笑った。この子達が健《すこ》やかに成長しますようにという想いでいっぱいになった。

東河村を出て、和士秀先生に会いに行くと、和士秀先生は非常に驚き「おおっ、ももこ!!」と叫《さけ》んで大喜びして下さった。そして息子《むすこ》さんと、息子さんの友人で日本人の山崎《やまざき》さんを呼び、みんなで更に大喜びしてくれた。みんな、元気そうでよかった。

昼食を食べた後、またお茶を買いにお茶屋に行った。私は麗江で売っている、玉龍仙茗というお茶がすごく好きで、他《ほか》では売っていないのでどうしてもそれが欲しかったのだ。ほんわりとキンモクセイみたいな香りのするおいしいお茶で、岡本《おかもと》さんからも「さくらさん、麗江に行くのならぜひあのお茶を買ってきて下さい!!」と頼まれていた。

お茶屋に着き、試飲もそこそこに、私は例のお茶を20箱下さいと店員さんに言った。その他に、冬虫夏草の虫のフンで作った粉茶《こなちゃ》も30箱買う事にし、全部宋さんに送ってもらう事にした。

これで、中国茶に対する茶欲はかなり満たされた。もう今回の旅でこれ以上お茶を買う事は無いだろう、とその時は思った。

夕方、麗江の街を散歩しながら通りかかった店の前で、宋さんが「あ、このパンみたいな物、ナシ族の人達が毎日食べている物なんですよ。けっこうおいしいので、いかがですか」と言って、そのパンを買ってくれたのでみんなで食べてみた。パイみたいでおいしい。

店の中では、何か他の料理を食べている人達もいて、私達は興味がそそられた。奥《おく》の食材のケースには、新鮮な野菜やキノコが山盛りに並んでいる。「おいしそう…」全員がそうつぶやいた。それをきいた宋さんは「じゃあ、この店で夕飯を食べましょうか。予約している店はキャンセルしてもかまいませんから、この店で食べましょう」と、私達の気持ちを素早《すばや》く察してくれた。

古くて小さくてオープンなその店は、幼い頃《ころ》、おとうさんに連れて行ってもらった昔の飲み屋みたいな感じがした。安物の壁時計や色あせたポスターや、ボロいショーケースも全部味わい深い。ここの店に限らず、どこの店もこんな感じなので、麗江に行ったら街の料理屋に寄ってみてほしい。

宋さんが注文してくれた料理が、次々と出てきた。キノコの炒《いた》め物やピータンや、野菜の炒め物やスープ等、テーブルに乗り切れないほど皿が並んだ。どれもおいしいのだが、私は特にニラの炒め物が気に入った。ニラが甘《あま》くておいしいこと!!　食材の良さが身にしみて感じられる一品だ。

ビールも飲み、バター茶も飲み、料理も食べ切れない程《ほど》食べて、6人分の合計がたったの1000円位だったのには驚いた。ハバロフスクより安いじゃないか。できる事ならキノコもニラもごっそり買って帰りたいぐらいだ。

夕飯後も我々はずっと散歩をし、夜おそくホテルに戻《もど》った時にはクタクタになっていた。

翌朝、麗江から昆明に戻り、昆明で一番大きなお茶屋さんに行ってみる事になった。

お茶屋さんにはズラリと茶器が並んで展示されており、100年以上前の超《ちょう》貴重なプーアール茶も飾られていた。

個室に案内され、そこでお姉さんがお茶の説明をしながら試飲させてくれた。良いお茶から悪いお茶まで試飲させてくれたので、非常に勉強になった。

私はその店で、62年モノと35年モノのプーアール茶を買う事にした。昨日の麗江で茶欲は満たされたと思ったばかりだったのに、目の前に62年モノを出されちゃいらないとは決して言えない。

62年モノといえば、62年前の物という事だ。ヒロシが小学校一年生の時に作られたお茶だ。そんな、ヒロシ本人ですら恐《おそ》らく何も記憶《きおく》にないような昔のお茶が、今ここに存在している事自体、アラ不思議と思うところにプーアールの面白《おもしろ》さを感じる。

今日買ったお茶も、全部まとめて宋さんに送ってもらう事にした。宋さんがいてくれて本当に良かった。こんなにたくさんのお茶が買えたのも宋さんのおかげだ。宋さんがいなかったら、私は大量のお茶を背負って、高山でもないのに酸欠で高山病になっていたかもしれない。

宋さんのおすすめの、過橋米線《かきょうべいせん》という料理を食べた後、空港に向かった。

私達は宋さんと別れるのが本当に悲しかった。宋さんは「また、きっと昆明に遊びに来て下さいね。待ってます」と言って、いつまでも手を振《ふ》ってくれていた。

数日後、宋さんが手配してくれた宅配便で私の買った中国茶がどっさり届いた。中には宋さんからの手紙と、おいしい月餅《げっぺい》も一緒に入れて下さっていた。

中国茶を入れて月餅を食べながら、宋さんの事をしみじみ思い出して、〝また行きたいなァ…〟と思った。

世界遺産　日光

最近「日光の東照宮《とうしょうぐう》はすごいよ」と、3人ぐらいの人からきいて、私は行ってみようかなと思った。世界遺産として認定《にんてい》されるぐらいなのだから、やっぱり相当なものだろう。

思えば、日光には今まで行く機会がなく、20年位前にうちの母が行って「バスに酔《よ》った」という話をきいたきり、家族でも行った者がいなかった。

恥《は》ずかしい話だが、私はこれまで日光が結局何県にあるのかもよくわからなかった。たぶん、小学校か中学校の頃《ころ》に1度や2度はどこの県に日光があるのかということを学ぶ機会はあったに違《ちが》いないと思うが、完全に忘れていた。

群馬県かな、いや、福島県かもしれないぞ、などと思っていたが、栃木《とちぎ》県だということが判《わ》かった。日光は栃木県にあったのだ。知らなかった人や忘れていた人は、私と共に覚えようじゃないか。

日光の他《ほか》にも、有名な土地なのにハッキリ何県だか判からないものが私には沢《たく》山《さん》ある。会津《あいづ》若松とか奥飛騨《おくひだ》、上高地も尾瀬《おぜ》も立山連峰《たてやまれんぽう》も何県にあるのかよくわからない。これだから学生は真面目《まじめ》に勉強すべきなのだと一瞬《いっしゅん》思うのだが、でもこんなことは地図や辞典で調べればすぐに判かることだから、用がない時までわざわざ覚えていなくてもいいかとも思う。肝心《かんじん》なのは調べても判からないことを自分自身で考えることなのだ。調べれば判かることにまで神経質に脳細胞《のうさいぼう》を使うことはないじゃないかとずっと思って今日まで私は生きてきたので、皆様《みなさま》の住んでいる町が何県かよく判からなかったと言っても許していただきたい。

てなわけで、栃木県の日光まで、浅草からスペーシアという列車に乗って行くことになった。私は、日光が栃木県だということは知らなかったが、スペーシアという列車は知っていた。なぜかというと、息子《むすこ》が列車好きで、毎日列車のビデオや本を見せられたり、列車の歌を聞かされていたからである。それまで私は全く列車に興味が無く、何の列車を見ても「ああ列車が走っているなァ」とだけしか思わないか或《あ》るいは何も思わずただ視界に入っているだけという状態であった。

しかし最近では、以前よりも列車のことをよく見るようになり、列車もなかなかカッコイイもんだなァなどと少し息子や鉄道マニアの気持ちがわかるようになってきた。なので今回スペーシアに乗る時も「お、スペーシアの本物だ」と心の中でつぶやき、ちょっと感動した。

今回一緒《いっしょ》に行くメンバーは、おなじみの木村さんと石井さんとカメラマンの広《ひろ》瀬《せ》君と、葛岡《くずおか》君だ。

私と木村さんは「石井さんがサングラスをサルに取られて欲《ほ》しいところだね。そうすれば面白《おもしろ》いレポートが書けるのにさ」などと話していた。そのぐらいの目にあってもらわなくては、この旅に石井さんを連れてきた意味もなければ、石井さんが晩秋にサングラスをしている意味もない。

石井さんは、別にまぶしくもないのによくサングラスをしている。ただでさえ善良な人だとは思われにくい怪《あや》しい外見なのに、自らますます怪し気にするのが好きなのだろう。どういう趣味《しゅみ》かと思う。

葛岡君が買ってきてくれたおいしい舞茸《まいたけ》弁当を食べたりしているうちに日光に着いた。

駅前が、昭和40年代後半から50年代初頭のような趣《おもむき》のある、実にわくわくする感じだ。私は着いたとたんに駅前が気に入り、「もう今日は駅前の散歩だけにしようよ。別に他に行かなくてもいいからさ」と言ったのだが、みんなが「一応いろは坂を登って紅葉ぐらいは見て取材した方がいい」と言うので、本当に仕方なく一応そうすることにした。

いろは坂という坂は、〝いろはにほへと〟の文字が坂のカーブごとに記されてあり、それを車で登ってゆくわけであるが、いつも渋滞《じゅうたい》するうえに、酔いやすい人は必ず車酔いするという面倒《めんどう》な坂なのだ。うちの母が「バスに酔った」と言っていたのもこのいろは坂での事だ。

私は車酔いはしないものの、渋滞を喜ぶほどの車好きでもない。だから「…渋滞になったらやだな」と思っていたが、やはり坂の中腹過ぎた頃から渋滞になった。

渋滞にはなったものの、外の景色は実にキレイで、山の岩肌《いわはだ》が日に照らされ、紅葉の色どりとミックスされてまさに絶景であった。

景色を見て気を紛《まぎ》らわしながらようやく中禅寺湖《ちゅうぜんじこ》までたどり着き、我々は車を降りた。その日は晴天だったため、湖のむこう側にある山が上から下までクッキリと見え、絵のような風景が広がっていた。

私は湖の周辺にある土産物屋《みやげものや》に次々と飛《と》び込《こ》み、趣味の土産物買いの物色に時間を費《つい》やした。日光は〝ゆば〟が名物らしく、どこの店に行っても必ずゆばの物が置いてある。生ゆば・干ゆばはもちろん、味付ゆば、ゆばまんじゅう、ゆば豆《どう》腐《ふ》、ゆばそば、ゆば団子、ゆばせんべい等、とにかくゆばを色々と工夫《くふう》してある製品が並んでいる。

私も木村さんもゆばが大好きなので、日光でゆばを食べるのを楽しみにしていたのだが、明日の昼、ゆばを思いっきり食べるという予定になっていたので、土産物屋でゆばを買うのは思いとどまった。

ゆばの他、木彫《きぼ》りの工芸品とこけし類も多くあった。中には30年位前の在庫かもと思われるような古い置き物もあったりして、なかなか見応《みごた》えがあった。

私は白樺《しらかば》の木で彫った魚の飾《かざ》り物《もの》が気に入り、小さめのを1個買った。私の仕事場の和室（たった3畳《じょう》）にコレを飾るのだ。そしてコレを見るたびに日光を思い出すつもりだ。店員のおばさんが「最近じゃ白樺の彫り物はあんまり作らないから、いい物を選びましたね」と言ってくれた。何気なく選んだのに、それならホントによかったと思う。

帰りも道が混《こ》んでいたが、石井さんや葛岡君に言わせると「今日は全然ツイてる方だ。いろは坂の渋滞はこんなもんじゃない」ということなので、きっとこんなもんじゃないのであろう。

私と木村さんは、中禅寺湖あたりで石井さんのサングラスがサルに取られなかったことが不満であった。それどころか、サルの姿を1回も見ていない。本当に日光にはサルがいるんだろうかと思ってしまう。

夕方、日光金谷《かなや》ホテルに到着《とうちゃく》した。このホテルは古い伝統のある由緒《ゆいしょ》正しいホテルである。入口付近から由緒正しいムードが漂《ただよ》い、伝統を感じさせる建物がやがて見えてきた。

チェックインを済まし、各自それぞれの部屋に案内された。私の部屋からは庭

サルがいないねえ
ホント。石井さんのサングラスをとってもらわなきゃならないっていうのた…
…

の木々と遠くの山々が見え、天井《てんじょう》は高くとても趣と格調がある。

私は少し疲《つか》れたのでお茶を飲み、しばらく眠《ねむ》った。なんか寝心地《ねごこち》が良く、グーグーと2時間も眠ってしまった。

私が寝ている間に、他の人達《ひとたち》はホテルの近くの温泉に行ってきたあと酒を飲んだらしく、全員だらしない赤ら顔でヘラヘラと何か大声でくだらない話をしていた。どんなくだらない話かと言えば、石井さんが木村さんにセクハラをしたとかしないとか、まあそんな内容の話を、私以外の4人はヘラヘラと大声でしていたわけである。

そんな4人と共にホテル内のフランス料理を食べに行ったため、食事の間じゅう先程《さきほど》のくだらない内容の話は続いていた。話とは別に、このホテルのフランス料理はとてもおいしく、肉も野菜もいい味だった。

食事が終わっても石井さんのセクハラ疑惑《ぎわく》の話は終わらず、私は話の途中《とちゅう》でマッサージの時間がきたためにひとりで部屋に戻《もど》った。あの4人がいつまで同じ話題で盛り上がっていたのか、詳《くわ》しいことは判からぬまま私はマッサージの後すぐ

…フォアグラって食べたことないっス…
ヒロセ君のウブな発言に他の者たちは若き日を思い出し、心洗われた。
（ホテル　フランス料理のとき）

に眠った。

よく朝、10時に我々は日光東照宮に向かった。東照宮はホテルのすぐそばにあり、歩いて行けるので都合が良い。

東照宮には多くの人が参拝におとずれていた。修学旅行だと思われる小学生達の姿も見られた。

青空の中にスッキリと浮かび上がる東照宮の景色はなるほど素晴《すば》らしく、美しい。中華風《ちゅうかふう》の鮮《あざ》やかな色彩《しきさい》と彫り物による装飾《そうしょく》は、美的な感動と共に制作にかけられた人間の労力にも感動をよぶ。

ザッと東照宮を見て、私は来る時に見かけた団子屋の事が気になり「もう東照宮はいいから、団子を食べに行こう」と言うと、いち早く石井さんがそれに賛成した。

東照宮の敷地内の脇《わき》にある団子屋は、3軒《けん》並んでいるのだが、団子以外にもおでんやうどん等、おいしそうなメニューがズラズラと紙に書かれて並んでいる。ここで腹いっぱい食べたいと思ったが、このあとゆば料理の店に行くので団子以外の物は食べない方がいい。

とても感じの良いかわいらしいおばさんが、団子を焼いて出してくれた。しょう油味とミソ味の2種類、どちらも古き良き時代をしのばせるような昔味でおいしい。

東照宮を去り、我々はいよいよゆば料理の店に向かった。店に着くまでのあいだ、木彫りの店や和菓子《わがし》屋や、用もないのに思わず歩いてみたくなるような小道があったりして、私の心の中は次々と誘惑《ゆうわく》に駆《か》られていた。

葛岡君の案内でゆば料理屋に着いた。人気の店らしく、私達の前に来ていた客が予約をしていなかったために断られていた。葛岡君が予約をしといてくれたので我々は店に入れたが、そうしている間にもまた他の客が来て断られていた。こんなに人気があるなんて、相当おいしいんだろうなァと、ゆば好きの私と木村さんの胸は高鳴った。

大広間みたいな座敷《ざしき》に案内され、我々はお膳《ぜん》の前に座《すわ》った。ビールを注文したあと、まもなく次々とゆば料理が出された。

トロリとした生ゆばのさしみから始まり、甘《あま》いミソのついたゆば田楽《でんがく》のおいしいこと。ゆばの酢《す》の物《もの》にゆばの天ぷら、ゆばの煮物《にもの》もおいしい。こんなゆば料理屋が、うちの近くにもあればいいのになァと思う。

ゆば料理を満喫《まんきつ》した我々は、駅前までのらりくらりと歩いて行った。途中、ヒロシにお土産の地酒を買うために酒屋へ寄ったり、木彫りの手鏡や茶筒《ちゃづつ》やまんじゅうを買ったりした。

帰りのスペーシアの中で、私は息子にお土産をあわてて買った。スペーシアのキーホルダーと、スペーシアの模型とスペーシア型の箱に入っているクッキーだ。日光土産でスペーシアの物ばっかりというのもどうかと思ったのだが、息子は「どうもありがとう。うれしい」と言って非常に喜んだので、下手に何か他の物を買うよりよかったと心から思った。

ちなみにヒロシも地酒を非常に喜び、自らすすんで酒の肴《さかな》を買いに家を去った。

怒濤のクルージング

作家の鈴木《すずき》光司《こうじ》さんが持っているクルーザーに「乗せてほしい」と頼《たの》んだところ、熱海《あたみ》沖《おき》の初島まで連れていってもらえることになった。

鈴木光司さんは忙《いそ》がしいだろうし、こんな家族や親せきでもない私が船に乗せてくれと頼んでも、「またいつかね」という返事がかえってきたって当然なのに、初島まで連れていってくれると言うなんて、太っ腹だしやさしいよなーと思った。

当日、横浜《よこはま》から船に乗ることになっており、私は鈴木さんのオートバイの後ろに乗せてもらって東京から横浜まで行く予定だったのだが、雨が降ったために車で行くことになった。

しかし、せっかくだからオートバイに乗ったという設定で、写真撮影《さつえい》だけしてもらった。

横浜に着くと角川書店の堀内《ほりうち》さんという人が待っていた。鈴木さんのクルージングの時には手伝ったりしているらしく、日に焼けた丸顔の、お人好《ひとよ》しなマリン野《や》郎《ろう》という印象だ。

鈴木さん、堀内さん他《ほか》、『富士山』スタッフを合わせて10名以上が船に乗《の》り込《こ》んだ。鈴木さんの船はトイレはもちろん、リビング、キッチン、ベッドルームが2個もついていて、充分《じゆうぶん》楽しく生活できるような立派さである。

船が動き出した。今日は波も穏《おだ》やかで、気温もちょうど良い。鈴木さんが「このまえ、幻冬舎《げんとうしや》の山口ミルコが乗った時は、大嵐《おおあらし》になって、波の高さが3、4メートルぐらいだったんだよな」と言った。続けて堀内さんが「あの時は本当に命の危険を感じました」と言い、私は「ああ、そういえば、ミルコが鈴木さんの船に乗ってひどいめにあったって言ってたのを思い出したよ。波の高さが3、4メートルじゃ、そりゃ大変だったでしょうねぇ」と、ミルコのたどったひどいめのことをあわれんだ。ベル博士に口説かれたり、嵐にあったり、ミルコは行く先々でとんでもないめにあう女だよなーと、水平線を見ながら思った。

初島に向かう途中《とちゆう》の三崎《みさき》という港で一旦《いったん》船を降り、マグロ料理を食べることに

鈴木光司さんには、なにからなにまでお世話になりました

なった。

マグロの店のメニューは、マグロ丼《どん》やマグロの刺身《さしみ》はもちろん、マグロの煮物《にもの》やマグロ焼き等何から何までマグロのことでいっぱいだった。マグロの嫌《きら》いな人が来たら食べる物がない。

私はマグロが大好きだから大喜びで中トロ丼を頼んだ。他の人の頼んだのもおいしそうだったけれど、中トロ丼も悔《く》いのないおいしさだった。ビールもおいしかったし、初島に行く途中ですらこんなにいいめにあうなんてちょっとミルコに申し訳ない感じだ。

三崎を出て、いよいよ初島に向かう途中、急に鈴木さんが「じゃ、ポコリンも運転してみれば?」と言い出した。ポコリンとは、鈴木さんが私につけたあだ名だ。たぶんポンポコリンからつけたんだろうと思っていたが、案の定「ポンポコリンからだ」と本人が言ったので「やっぱり」と私は思った。

急にそんなあだ名で呼ばれた時もポカンとしたが「運転してみれば」と言われてまたポカンとした。だって私は無免許《むめんきょ》だしムリだ。

鈴木さんは「大丈夫《だいじょうぶ》。無免許でも、免許を持っている人と一緒《いっしょ》に乗っていればいいんだってば。簡単に運転のし方を教えてあげるから」と言って、本当に簡単に運転のし方を教えてくれた。そして「そんじゃ後は頼んだぜ」と言って船室に昼寝《ひるね》をしに行ってしまった。

ギョッとしている私の横に堀内さんがやってきて「ボクが見てますから、運転して下さい」と言った。私は不安だったが、一応やってみることにした。こんなに立派な船なんだし、転覆《てんぷく》することはないだろう。

ずいぶん真剣《しんけん》に運転した。この船に乗っている人達《ひとたち》の命をあずかっているんだと思うとトビウオが飛《と》び跳《は》ねたぐらいでよそ見をしていられない。昼寝をしている鈴木さんにもしものことがあったら日本の文芸界にも大きなダメージを与《あた》えることになるし横にいる堀内さんだって気の毒だ。そして一緒に乗ってる富士山スタッフだって、マグロを食った後に海に放り出されることになるなんて、せめてマグロを食ったあとでよかったと思う人なんていないだろう。

神経を集中させて運転していたが、私は自転車以外の乗り物を動かす機会がなかったので、面白《おもしろ》いと思うと同時に「私にも、こういうエンジンのついている乗り物を運転することができるんだ…」という感動もおぼえていた。船の免許を取るのもいいかもしれない。

ようやく初島が見えてきた。見えてきたけれどまだまだ遠いし鈴木さんは起きてこない。もうしばらく運転を続けた。

いよいよ初島がアップになると、鈴木さんが起きてきた。ここから先の難しいことは鈴木さんが行なう。

船はエクシブ初島クラブの波止場《はとば》に停《と》められた。初島クラブとは、御存知《ごぞんじ》の方も多いと思うが、豪華《ごうか》な会員制のリゾートホテルなのだ。鈴木さんが会員のおかげで、我々もここに泊《と》まれるのである。船に乗せてもらい、泊まる面倒《めんどう》までみていただき、何から何まで鈴木さんには申し訳ない。同じ静岡県《しずおかけん》出身ということぐらいの共通点で、こんなにしてもらっていいものかとポコリンは思うよ。

ふと見ると、波止場にはマリンジェットとヨットも停めてあった。どっちも鈴木さんの物だそうだ。

おっ小林さん マリンルックじゃん
はりきっているねえ 80年代のギャルってかんじ
…それって流行遅れってことですか
富士山スタッフの小林さん

私はそれらに乗せてほしいと言っていないのに、いつのまにか乗ることになっていた。もう日が暮れてきているし、雨も少し降り始めている。正直言って、一刻も早く初島クラブの温泉に入って呑気《のんき》にしたい。

そういう思いは届かず、気がつくと私はマリンジェットの後ろに乗り、ものすごいスピードで港の近辺を走り回っていた。落ちたら死ぬだろうなァと思うと、ますます初島クラブの温泉に一刻も早く入りたくなった。

それなのに、次はヨットに乗ることになった。心なしか、波が少し荒《あ》れてきたようだ。

ヨットは我々を乗せて夕暮れの薄暗《うすぐら》い海へ向かって走っていった。舟《ふね》の帆《ほ》が右や左に動くたび、乗っている我々は重心を変えるために移動した。ヨットって、乗っている人はこんな苦労をしていたのかと初めて知った。帆の移動の際、動いている鉄の棒に頭をぶつけると相当痛そうだ。実際、ぶつけたことのあるという福島さんは、「本当に目から星が飛び出す感じで、そのまま海の中に落ちるかと思うほど痛いですよ」と、その恐《おそろ》しさを語っていた。

ヨットを降り、やっと初島クラブの温泉に入れた。初島クラブは噂《うわさ》どおりのすばらしさで、エステやタラソテラピーなど大変に充実している。私もぜひやってみたかったが、その日は予約がいっぱいでムリだったのがとても心残りだ。

夕飯はホテル内のイタリアンの店に行った。おいしかった。海の幸《さち》がいっぱいだし、デザートも良かった。

私は「今日はクルーザーを運転できて面白かったよ。私も免許とろうかな」と言うと、鈴木さんは「そう思うだろ!?　な、船って一度乗って良かったと思うと、免許欲《ほ》しくなるんだよな。それを思うと、ミルコはかわいそうだったよな」と言ったので、私も「…そうだね。ミルコは免許、いらないだろうね」と言った。

翌日、私は朝起きられずに寝坊《ねぼう》した。起きた時にはもう鈴木さんも堀内さんもみんないなくなっていて、富士山スタッフの鈴木佐和子《さわこ》さんから「他の人は全員、光司さんの船に乗って帰りました。みなさん、さくらさんによろしくと言ってました」と告げられた。

なので、ふたりでフェリーに乗って帰った。

ももこ御礼の旅　仙台へ

武田

ずっと前から、なぜか私は仙台《せんだい》で特に人気があるようだった。本の売り上げやTVの視聴率《しちょうりつ》など、仙台での成績が毎回とても良いのだ。どうしてだろう。私と仙台に何か共通点があるのだろうか。あるとすればそれは私が仙台ダンスを2個持っていることぐらいしか今のところ思いあたらない。

なぜだかわからなくても、とにかく仙台のことは気になっていた。こんなに私を好いてくれている仙台に、実はまだ1回も行ったことがなかったので、御礼《おれい》がてら行ってみようと思いたった。

「仙台に行きたい」と私が言ったところ、富士山スタッフ内でも「仙台なら自分も行きたい」という人が続出した。

仙台がすごくいい街だという噂《うわさ》はよくきいていたが、噂どおりの反応だ。一度でも行ったことのある人は何度でも、行ったことのない人はぜひ、という感じである。

結局、木村さんと広瀬《ひろせ》君と大森さんと葛岡《くずおか》君が同行することになった。行く前からみんな、牛タンだスシだと食べ物のことばかり語っていた。

東京からちょうど2時間で仙台に着いた。ホテルにチェックインを済ませ、早《さっ》速《そく》散歩に出掛《でか》けた。

市場通りを歩いてみると、新鮮《しんせん》で立派でおいしそうな野菜・果物・魚貝類がいっぱいで、しかも安かった。私と木村さんは「…ここに住んでりゃ買いたいよねえ…」と何度も言った。旅先の市場で生物《なまもの》を見るたびに思う無念さだ。でも、こんなにいっぱいおいしそうな物がある仙台なら、食べ物屋さんもさぞかしおいしいだろう。

我々は、まず牛タン屋さんに向かった。仙台といえば牛タンなのだ。なぜなのかは、わからないが。

『太助《たすけ》』というその牛タン屋は人気があり、昼時には列ができるらしい。我々が行った時には昼時をちょっと過ぎていたので、列にはなっていなかったが、それでも10分位外で待った。

店の中には牛タンのおいしそうな匂《にお》いが充満《じゅうまん》し、カウンター越《ご》しにおじさんがせっせと牛タンを焼く姿が見えた。お客さんは皆《みな》、黙々《もくもく》と牛タンを食べている。おじさんの手元には牛タンが山のように積まれているが、一体何匹分《なんびきぶん》の牛の舌があるのだろう。

アツアツの牛タンとたっぷりの漬《つ》け物《もの》と麦飯とテールスープが運ばれてきた。これに七味をちょっとかけて食べる。

おいし——っ。他《ほか》のお客さんが黙々と食べている理由がわかる。これは黙々と食べてしまうおいしさだ。漬け物も一緒《いっしょ》に食べるとまたおいしい。テールスープもすすって食べると更《さら》にいい。麦飯がしみじみとした味わいをかもし出し、健康にも良さそうと思うとなおおいしい。

店を出て、私は思った。仙台の人達《ひとたち》は、平均週に何回ぐらい牛タンを食べるんだろうか。身近にこんなにおいしい牛タン屋がいっぱいあるとなると、やっぱり週3回ぐらいは食べているんじゃないかという気がする。うらやましい。さっきの市場と合わせてうらやましい。

さて、牛タンを食べたところで今回仙台に来た大きな目的である〃仙台の皆様への御礼〃をしに行くことになった。とは言っても、どのようにするのかというと、何も私がスピーカーを持って「ありがとうございます、仙台の皆さん、いつもお世話になっております」などと大騒《おおさわ》ぎをするということではなく、仙台のショッピングセンターの中にある書店さんに行ってそこに私の色紙を置かせていただこうという予定なのであった。

それなのに、私は肝心《かんじん》な色紙を持ってくるのを忘れてしまい、実は心に虚《むな》しい風が少し吹《ふ》いていたのだ。前の晩、心を込《こ》めて『仙台のみなさま　いつも応援《おうえん》ありがとうございます!!』という御礼の言葉も書き、まる子の絵も上手に描《か》けたので喜んでいたのに、それを持ってくるのを忘れるなんて、本当にバカだ。これからどの面《つら》を下げて書店さんに行けばいいのか。

そんな思いを抱《かか》えながら紀伊國屋《きのくにや》書店仙台店に向かった。

書店に着くと、店長さんをはじめ、私の本の担当者の方々が温く迎《むか》えて下さった。私は御礼と、仙台の皆様あてのサイン色紙を忘れてきてしまった旨《むね》をお伝えし、「あとから送らせていただきますので…」とつけ加えた。

お茶をすすめていただいたのに、今日一日で仙台の他の場所も取材しなくてはならなかったため、バタバタとあわただしく書店を去ることになった。帰り際《ぎわ》にお土産《みやげ》までいただき、申し訳ない気持ちでいっぱいになった。

書店を出てすぐ、『石橋屋』という有名な駄菓子《だがし》屋さんに行った。昔ながらの外観で、店内もすごく趣《おもむき》があり、おいしそうな駄菓子がいっぱい並んでいる。

店の奥《おく》さんが、私達を裏庭の小さな部屋に案内して下さった。その部屋には、この店の御主人《ごしゅじん》のもう亡《な》くなったお父様の石橋幸作さんの描いた絵や作った人形などが大切に保管されていた。

私はそれを見て大変感動した。石橋幸作さんは、駄菓子へ全《すべ》ての情熱を注ぎ、駄菓子屋を営むかたわら、このような駄菓子屋の絵や駄菓子にまつわる人形や、駄菓子についての小冊子を作っていたのだ。

小冊子には「自分の駄菓子に対する想《おも》いは人から酔狂《すいきょう》だと言われようとかまわ

ない。とにかく駄菓子が面白《おもしろ》いのだ」というようなことが書かれていた。

駄菓子を愛して駄菓子屋を営み、余暇《よか》には駄菓子の作品をコツコツ作っていた石橋幸作さんの純粋《じゅんすい》な心が全ての作品からあふれている。その心をちゃんと他の家族が受《う》け継《つ》ぎ、幸作さんの作品をこうやって保管し、店を守り、おいしい駄菓子を多くの人々に提供していることもすばらしいと思う。私が幸作さんだったらすごくうれしい。きっと幸作さんも天国でとっくに大喜びしているに違《ちが》いない。

店を出たあとも、皆「石橋幸作さんの駄菓子への情熱はよかったねー」と語り合った。

それからずいぶん歩いた。仙台の街は車道も歩道も広々していて気持ちいい。一旦《いったん》ホテルに戻《もど》って30分ばかり休けいした後、また街に出掛けた。

アーケードの中にある笹《ささ》かまぼこの店に行ってみると、色々なかまぼこが売っていてどれも欲《ほ》しくなった。私は母から「おとうさんも私もまた太るから、仙台のお土産は何も買ってこなくていいからね。わかったね」と念を押《お》されていたのだが、もうそんな約束は忘れた。それで笹かまセットを自宅用に買い、スタッフのお土産用の笹かまも人数分買い、宅配で送ってもらうことにした。私は笹かまにマヨネーズをつけて食べるのが、大好きなのだ。マヨネーズにちょっとしょうゆをたらして、七味を混ぜたのをつけて食べるのもおいしい。わさび漬けをつけて食べるのもいい。

笹かまの次は民芸店をのぞいた。仙台に来たら、こけしを買いたいと思っていたのだ。私はこけしが好きで、旅先で時々買うことがある。こけしは幾《いく》つかの流派があり、ひとつずつ手描きだからそれぞれに味わいや面白さがあって楽しい。

『しまぬき』というそのお店には、ズラーッとこけしが並んでいて、すごい迫力《はくりょく》だ。かわいいこけしにこんな迫力が出せるなんて、こけしの底力を知った。

「さくらさんは、こういう店に入ると3時間ぐらい出てこないんだよね」とむこうの方で木村さんが大森さんに話しているのがきこえたが、本当にそうなので私は黙《だま》っていた。

3時間ぐらい見ていたかったが、おすし屋さんの予約の時間が迫《せま》っていたので急いでこけしを物色し、5体ばかり選んで買って店を出た。木村さんは「明日の朝、また来よう」と言ってくれたので私はうれしかった。

予約の時間を15分遅刻《ちこく》しておすし屋さんに到着《とうちゃく》した。『福寿司《ふくずし》』というそのお店はアーケードの中にあるのだが、外観から粋《いき》でしっとりとした格調の高いたたずまいで、我々のスシに対する期待はいやおうなしに高まっていった。

全員カウンターの席に座《すわ》り、最初つまみで私はカニを頼《たの》んだ。それがいきなりおいしかったこと。他のみんなもそれぞれ違うものを頼んでいたが、皆それぞれ「おいしいっ」と叫《さけ》んでいた。

スシを頼む段階になり、私はエビ、コブ〆《じめ》のタイ、大トロ、ウニ、イクラ、と次々いったのだが、あまりのおいしさにカウンターの上に崩《くず》れ落《お》ちそうになった。もう、体も頭も心も、スシを食べるということのみに集中し、それを食べている真《ま》っ只中《ただなか》の時には全身全霊《ぜんしんぜんれい》で味わう喜びのハーモニーが流れている感じだ。こういう瞬間《しゅんかん》があるから、人生っていいよな、と思いまたスシを口に運び〝ああ……人生ってホントにいいよな…〟と繰《く》り返《かえ》し思う。

他のみんなも、もうメロメロな表情だ。スシがおいしいという言葉以外に何も交《か》わす言葉がない。

店を出たあとも私達はずっと福寿司の話題でもちきりだった。ホテルに着いて、ラウンジで飲んでいる時も、福寿司の話をしていた。

ホテルのラウンジから仙台の街の夜景が美しく見え、私はうれしさで胸がいっぱいになっていた。今日一日で見たこと食べたこと会った人のことなど、どれも楽しく良いことばっかりだった。この仙台の人達が、なぜか私の作品をずっと前から好んでいてくれたなんて、理由はわからぬままだが喜びはひとしおだ。

翌朝、こけしを買いにまた『しまぬき』に行き、幾つかこけしを買ったあと、お茶屋さん『賣茶翁《ばいさおう》』で休けいし、駅ビルの食品売場でおいしそうなお菓子をたくさん買った。仙台はお菓子もかなりレベルが高そうだ。種類も豊富でどれもこれも欲しくなる。いくら母に買ってくるなと言われても買わずにいられない。ヒロシのために地酒も買い、新幹線の発車ギリギリまで食品売場で私と木村さんは走りまわっていた。

新幹線に乗り、いよいよ仙台の街とお別れだ。ありがとう仙台、また来るよ仙台、さようなら仙台、元気でね仙台……と、私の心は離《はな》れゆく仙台にやたらと別れの言葉を一方的に投げかけていた。

家に帰り、どっさり仙台土産を前にした母は「これだからあたしゃまた太るんだよね」と言いながら、おいしいおいしいと言ってゆべしというお菓子をムシャムシャ食べ始めた。

ヒロシは笹かまと地酒を飲み、私のスシの話をききながら「いいなー、仙台。オレも行きてえなァ」とつぶやき、続けて「オレはよォ、もしも仙台に住んだら、毎日魚とかスシ食ってよォ、そんでもって、たまに山形とか岩手とか青森とかさ、秋田のほうなんかにもたまに遊びに行ったりするんだ。自転車で仙台を走るのもいいな。なァ」と私に同意を求めてきたので、私も「…うん。そりゃね。もしも仙台に住んでたらそうするといいね。自転車で走るのもね…」と一応ヒロシの勝手な夢に賛同した。仙台に住むのなら、私もヒロシに買ってやるよ、自転車を。

あとがき

『富士山』の旅行の中で、一番思い出に残っているのは何だろう……。と考えてみたところ、良い思い出をさし置いて、けっこうハバロフスクの旅が思い出に残っている。ハバロフスクの旅は、何の見どころもなく食べ物もおいしくなかったが、石井さんのバカバカしい言動とガイドのイリーナさんの気まじめさが全くかみ合わず、見どころの無さと共に空《むな》しい思い出として非常に印象に残った。

辛《つら》かったのはチベットだ。全身頭痛のような状態になり、寝《ね》ても起きても楽にならず、自分が元に戻《もど》って元気になる様子が想像できなかった。ハバロフスクで、3泊《ぱく》4日もヒマをもてあましていた日々もちょっと辛かったが、チベットの高山病よりは全然ましだ。

スリランカの炎天下《えんてんか》も辛いといえば辛いが、あの炎天下には宝石の原石という大きな夢があったので、辛さも忘れた。チベットにも、宝石の原石が眠《ねむ》っていたら、私は辛さを忘れたかもしれない。

ヨーロッパでは、私はベニスが大好きなのだが、最近はかなり海水に浸《ひた》っているらしいので、もう本当に沈《しず》んでしまうのかもしれないなァ……と嘆《なげ》いている。ベニスの趣《おもむき》は他の場所には無い夢々しさがあり、何度も行きたいと思っていたが、もしかしたら行けなくなってしまうかもしれない。とても残念だ。せめてあと一回でも行きたいのだが…。

ローマも良かった。石井さんおすすめの、ハスラーというレストランはすごく良かった。イタリアは食べ物がおいしくて景色もキレイで建物もステキなのでハマる人の気持ちもわかる。

バリは私達《わたしたち》が行った半年後に、テロで大爆発《だいばくはつ》されてしまい、あたしゃ泣いたよ。あんなに呑気《のんき》で平和で美しい島を恐怖《きょうふ》のどん底に落とし入れるなんて…。テロから2カ月後に、私はバリに行ってみたのだが、爆心地から遠いウブドゥの村は何事も無かったように平和だった。長尾《ながお》さんのスパ・リゾートもますます美しく完成していた。だが、テロの爆発音は遠く離《はな》れたウブドゥの人々にも聞こえたと言っていた。長尾さんの住居は、爆心地から7キロぐらいの距離《きょり》だったので、爆発時にはものすごい音がして家が揺《ゆ》れたそうだ。

もう二度と、どこの国にもテロが起こらないでほしいと心から祈《いの》っている。祈るぐらいしかできないけど、本当に平和になって欲《ほ》しい。

私の大好きなホンコンも、変な肺炎が流行《はや》ったりして大変だ。ホンコン→雲南《うんなん》省《しょう》というコースでまた旅行に行きたいな…と思っていたが、しばらく行かない方が良さそうだ。中国茶もそろそろまた欲しくなってきたので、早く行きたいなァと思っている。エルダンやエルダンの御両親《ごりょうしん》にも会いたいし、宋《そう》さんにも会いたい。

国内にもいい所がいっぱいある。しまなみ海道のサイクリングは、きつかったけれど楽しかった。瀬戸《せと》内海《ないかい》の景色はすばらしく、あんな経験はなかなかしないので、ヒロシと共に良い思い出になった。震度《しんど》5の地震も、揺れ体験の貴重な記《き》憶《おく》になった。

仙台《せんだい》のスシも新潟《にいがた》のスシもおいしいし、京都も大阪《おおさか》もおいしい。福岡《ふくおか》も北海道もおいしいね。鈴木《すずき》光司《こうじ》さんにもお世話になりました。クルーザーなんて、なかなか気軽に貸してくれる人いませんよ。光司さん、ありがとう。

行った先々でたくさんの人にお世話になり、同行してくれた木村さんをはじめ、『富士山』のスタッフの皆さんにも散々お世話になりました。みなさん、ありがとうございます。

読者のみなさんにも、またいつかどこかでお世話になるかもしれません。その時は、どうぞよろしくお願いします。

さくらももこ

巻末付録　おまけのQ&A

今日は、さくらさんにこの『またたび』や旅にちなんだ楽しい質問をさせていただき、お答えいただきます。さくらさん、どうぞよろしくお願いいたします。

――『またたび』は、さくらさんが編集長も取材も記事の執筆も挿絵も漫画も全《すべ》て一人でなさった、奇跡の雑誌『富士山』1～5号（1～4号は2000年に季刊で発行、5号は2002年10月発行）から選《よ》りすぐった、爆笑旅エッセイ集です。短い期間にこれほどあちこち行かれるのは、本当に大変だったでしょうね！『ももこの世界あっちこっちめぐり』（集英社刊）から始まって、世界中をまたにかけてあちこち出かけられているさくらさんですが、海外旅行への夢は、実は小さなころからお持ちだったそうですね。『富士山』4号の兼高《かねたか》かおるさんとの対談で、小さいころ、毎週日曜日放映されていた「兼高かおる世界の旅」を見てとても憧《あこが》れていた、とおっしゃっていました。

さくらさんが子どもだった1970年代前半は、日本人にとって海外旅行はまだまだ高嶺《たかね》の花だった時代だと思いますが（『ももこの70年代手帖』幻冬舎刊参照）、そのころ、「海外旅行」にどんな夢をえがいていらっしゃいましたか？　どんな国に行って、どんなことをしてみたいと、思っていらっしゃいましたか？

さくら　漠然と、スイスとカナダに行ってみたいと思っていました。何をしてみたいという具体的な希望は何も無かったと思います。ただ景色がきれいなんだろうなー……とか、チーズがおいしそうとか、その程度だと思います。

――実際に行ってみて、空想していたこと、イメージしていたこととのギャップはありましたか？　想像していたよりずっと素晴らしかった国（場所）、思いえがいていたとおりだった国、さくらさんのイメージよりダウンだった国、教えていただけますか？

さくら　思っていたよりずっと良かったのは、フランスのアルザス地方、ラスベガス、スペインのトレド、いまいちだったのはローマ（人が多すぎ）、チベット（高山病になった事も原因だが、寺院しか見どころが無い）、予想通りだった所はいっぱいあります。良いにしろ悪いにしろ。

――『またたび』に出てくるエピソードについてのちょっとした質問にお答えくださ い。

ハバロフスクの仮面の変態男、ローマでサイフをスられた石井さん、グアムで木村さんと鈴木さんのエステの部屋に入り込み絶叫された広瀬君、スリランカの井戸の中で「金よこせ」とスリランカ人にいわれた上田君、この中で一番ろくでもない人間は誰だと思いますか？

さくら　石井さんが、とにかく一番ろくでもないです。いつだって。

広州で買ったアリ等をつけこんだ漢方薬は、その後お飲みになったのでしょうか。

さくら　少し飲んだけれど、ものすごく気持ち悪い味です。もういらない……。

韓国のお粥《かゆ》、ホンコンのエルダンのカニ、チベットの烏骨鶏《うこっけい》のダシのキノコスープ、仙台の福寿司の寿司、今すぐ食べられるとしたら、どれがいいですか？

さくら 福寿司。カニもいいけど、やっぱ寿司だね。

――『さくらえび』文庫版の巻末Q&Aで、もう一度行きたいところベスト3は、ベニス、バリ、中国の雲南省、これから行ってみたいところベスト3は、タヒチ、南仏、ポルトガル、国内では九州にいっぱい行きたいとお答えになっていらっしゃいました。

『ももこの21世紀日記N'01』（幻冬舎刊）では、息子のめろんくんと二人で行った仙台・那須旅行の珍道中が傑作です。『同N'03』の伊豆山の花火大会のお話はとてもしみじみしました。チベット取材に出かけるさくらさんを泣きながら見送っためろんくんももう5年生。これからどんどん楽しい旅の道連れになってくれることでしょうね。これからめろんくんと、行ってみたいところ、してみたい旅がありましたら、教えてください。

さくら　当分は、熱海《あたみ》か横浜あたりですね。オーストラリアと中国に連れて行ったのですが、まだまだ大変でした。私の趣味につき合ってくれるようにならないと、海外はムリかもしれません。でも、いつかヨーロッパにでも一緒に行きたいですね。

――『神のちからっ子新聞①』（小学館刊）が刊行され、「週刊ビッグコミックスピリッツ」連載の「神のちからっ子新聞」も絶好調です。個性的なちからっ子たちは日本全国に散ってそれぞれの暮らしを営んでいますが、さくらさんのたくさんの旅の経験が生きている気がします。ちからっ子新聞を編集しているボンバー編集部の面々（盆場編集長、ケロ、ケンちゃん、うんのさしみ先生、鳥見人也《とりみひとや》）に取材旅行をさせるとしたら、どんな国、どんな場所が面白いと思われますか？

さくら　彼らだと、やっぱり国内ですね。富士登山とかさせたら、辛くて全員泣いちゃいそう。あと、恐山とかも、怖くて泣いちゃいそうで面白いですね。

——さくらさんが「旅」を好きだなあ、と思うときはどんなときですか。さくらさんにとって、理想の旅——場所、交通手段、道連れ、出会いetc.etc.——は、どんな旅でしょうか。

さくら　やっぱり、おいしい物を食べた時が一番「旅っていいなア」と思っているると思います。理想の旅は、気の合う仲間と、スケジュールも決まってない、呑気《のんき》な旅がいいです。適当に散歩したりカフェで休んだり、街の様子を見るのが好きなんです。あと、ホテルは良いホテルじゃないと、やだなアと思います。わがままですよね。わかってるんです……

たくさんの質問にていねいにお答えいただき、ありがとうございました。
ますますのご活躍、楽しみにしています！

*この作品は平成十五年六月新潮社より刊行された。

新潮文庫最新刊

仁木英之著
神仙の告白
旅路の果てに―僕僕先生―

突然眠りについた王弁のため、薬丹を求める僕僕。だがその行く手を神仙たちが阻む。じれじれ師弟の最後の旅、終章突入の第十弾。

仁木英之著
師弟の祈り
旅路の果てに―僕僕先生―

人間を滅ぼそうとする神仙、祈りによって神仙に抗おうとする人間。そして僕僕、王弁の時を超えた旅の終わりとは。感動の最終巻！

石井光太著
43回の殺意
―川崎中1男子生徒殺害事件の深層―

全身を四十三カ所も刺され全裸で息絶えた少年。冬の冷たい闇に閉ざされた多摩川の河川敷で何が起きたのか。事件の深層を追究する。

藤井青銅著
「日本の伝統」の正体

「初詣」「重箱おせち」「土下座」……その伝統、本当に昔からある!?　知れば知るほど面白い。「伝統」の「?」や「!」を楽しむ本。

白河三兎著
冬の朝、そっと担任を突き落とす

校舎の窓から飛び降り自殺した担任教師。追い詰めたのは、このクラスの誰？　痛みを乗り越え成長する高校生たちの罪と贖罪の物語。

乾くるみ著
物件探偵

格安、駅近など好条件でも実は危険が。事故物件のチェックでは見抜けない「謎」を不動産のプロが解明する物件ミステリー6話収録。